LE BAL DU GOUVERNEUR

MARIE-FRANCE PISIER

LE BAL DU GOUVERNEUR

roman

FRANCE LOISIRS
123, Bd de Grenelle - Paris

Édition du Club France Loisirs, Paris,
avec l'autorisation des Éditions Grasset et Fasquelle.

ISBN : 2-7242-2285-7

A Mathieu Funck-Brentano
A Paula Caucanas

Enquête sur le costume féminin à bicyclette.

Question : Que préférez-vous du pantalon masculin ou de la jupe, au triple point de vue de la beauté, de l'hygiène et de la correction ?

Réponse de M. Stéphane Mallarmé : Je ne suis, devant votre question, comme devant les chevaucheuses de l'acier, qu'un passant qui se gare, mais si leur mobile est celui de montrer des jambes, je préfère que ce soit d'une jupe relevée, vestige féminin, pas du garçonnier pantalon, que l'éblouissement fonde, me renverse et me darde.

Vite. J'ai le temps. Il faut que j'enterre ma bicyclette. Elle attire les derniers rayons de lune. De loin, on pourrait la voir. La plage est si plate quand la mer se retire avant de recouvrir le sable du matin.

Éviter de faire tache, debout, sur cette étendue pâle.

Je vais ramper jusqu'au bosquet de palétuviers, là-bas, au bord de l'eau. Le sable est humide, froid, mais si dur que mes coudes et mes genoux cessent de s'enfoncer. J'avance plus vite que je n'aurais cru.

J'effraie des crabes, frêles et légers, dans leurs trous brusquement disparus.

Bientôt, les troncs, les branches des palétuviers se croisent en grille devant moi, leurs racines tordues encore immergées.

Je reprends mon souffle à voir l'eau noire et mince qui bouge et recule doucement, de l'autre côté, si près que je pourrais la toucher.

Un lent scintillement monte avec le premier rayon du soleil qui crève la surface lointaine de l'eau.

Elle ne va pas tarder... Mais je ne tournerai pas la tête, pas encore.

Fixer cette ligne claire qui se dessine au loin entre la mer et le ciel. Elle monte et descend, monte et descend, monte et... C'est ma poitrine contre le sol qui s'enfle des battements réguliers de mon sang et soulève mon corps tout entier.

La mer s'échappe peu à peu, plus bas, de coquillages en lambeaux d'algues, cédant le passage... Pas trop ! Je veux qu'elle surgisse tout près, qu'elle me frôle.

Le soleil se hausse maintenant, rapide à s'arrondir et dessine la mer, immobile et brillante.

Pas un souffle, pas un bruit, pas une vague. Rien que cette immense traînée d'or que je fixe le plus longtemps possible. Tout se brouille peu à peu. Même derrière mes paupières, il fait encore rouge.

Écraser ma joue sur la grève. Attendre. Compter les battements de mon cœur qui s'assourdissent dans leur chemin de sable jusqu'à mon oreille. J'aime le sable.

Isabelle ne l'aime pas. Elle dit qu'elle regrette les galets des plages de Nice quand elle était petite. Elle dit qu'il en reste toujours dans ses cheveux, dans le duvet blond de ses bras. Elle dit, sans presque bouger les lèvres, je ne m'habitue pas. Hier, au collège, à la récréation, elle...

Pourquoi mon souffle sur le sable perd-il le rythme de mon cœur que j'entends, dédoublé, plus bref, plus cadencé ?

Je creuse plus fort de ma joue la surface rêche du sol... Ce n'est plus mon cœur que j'entends !

Alors, brusquement, les muscles de mes épaules, de mes reins, de mes bras, de ma nuque me soulèvent et me tendent tout entière vers le bout de la plage, à droite, où, tout là-bas au loin, le cheval et sa cavalière ne sont encore qu'une forme compacte, confuse qui se rapproche.

Je veux voir son visage. Il faut attendre.

Flèche d'Azur, rênes libres, galope à la lisière de l'eau, aussi immobile qu'elle, semble-t-il, porté par le seul mouvement ferme et régulier de ses longues jambes qui ne sont jamais quatre, cachées tour à tour, confondues en oblique.

Elle a posé une main à plat sur son encolure et l'air, traversé si vite, soulève ses cheveux de dessus ses épaules. Ils ne retombent pas et la suivent ainsi, comme un trait clair sur la ligne de l'horizon.

Les sabots du cheval soulèvent de temps à autre une brève flamme d'eau ensoleillée. Ils se rapprochent.

Je ne sens plus mon corps. La peau tendue de mon visage ne

laissera plus jamais mes yeux se refermer. Ouverts à jamais. Sans paupières...

Quelques centaines de mètres et je vais voir son visage se dessiner devant ses cheveux. Je saurai.

Que se passe-t-il ? Ils viennent de dépasser le flamboyant où je m'étais cachée hier, bien trop loin d'elle, et je ne vois toujours que la nappe blonde, précisée, de ses cheveux. Pas son visage. Elle le garde tourné vers la mer. D'un coup d'œil rapide, je sais pourquoi : un paquebot l'attire qui dévaste lentement la ligne de l'horizon.

Quelques secondes encore et je comprends que rien ne la distraira de ce spectacle, de ces cheminées noires qui fument, laissant au loin le même sillage clair que ses cheveux.

Flèche d'Azur s'engage maintenant dans le passage que la mer a laissé devant les palétuviers. Il porte vers moi, fidèlement, sans ralentir, énorme et aérien, son corps sans visage.

Elle équilibre de sa main ouverte devant le pommeau de la selle, juste sous la crinière rase de son cheval, la légère torsion de son corps vers le large.

Ils vont croiser le bateau, au centre à présent de mon champ d'horizon, au plus près, devant moi et cette folle toujours qui le suit des yeux, se masquant toujours un peu plus et recouvrant, une seconde, de ses épaules rondes, le bateau au loin.

De mon corps aplati dans le sable, de mes mâchoires soudées, sort un cri que je ne reconnais pas. Un cri de guerre.

Elle se retourne, brusque, vers les palétuviers, sans me voir et m'offre un bref instant, son visage dévoilé. Et puis, plus rien.

Flèche d'Azur a fait un écart, avant d'allonger encore le galop de ses jambes nerveuses et ses sabots ont propulsé, rapides, vers moi, mille petits grains de sable, mille petits grains d'aveuglement.

Je ne bouge pas, pendant que le bruit de leur course décroît au bout de la plage.

Dans ses yeux clairs, en une seconde, rien qu'un bref agacement. J'ai mal vu. Je me suis trompée. J'essaie de me rappeler. Rien d'autre, rien de plus ? Si clairs, si bleus. Je repousse de toutes mes forces d'autres images connues qui, déjà, se superposent, lentement. C'est fini. J'ai perdu. Demain, peut-être.

Mes mains, peu à peu, reconnaissent sous elles leur appui. Mes

doigts engourdis, en se soulevant, tracent dans le sable que le soleil a séché des sillons faciles.

Je me lève. Je sors à tâtons de ma cachette et marche droit vers la mer. Mes pieds nus descendent dans le lit déclive, humide, qu'elle creuse en reculant vers le soleil. Je ne porte pas mes mains à mes yeux brûlants. J'entre dans la mer, je l'ouvre brutalement jusqu'aux genoux. Elle bondit entre mes cuisses et y reste, main plaquée froide sur mon sexe. Je ne bouge plus. Et puis je reprends mon souffle et je crie, poing levé, vers le paquebot. De trois longs coups de sirène, il annonce, indifférent, son entrée dans la rade du port.

Demain. Demain ou un autre jour, je comprendrai. Je saurai pourquoi elle s'échappe chaque matin, pourquoi si tôt, pourquoi elle évite d'en parler.

Pourquoi elle a murmuré une fois, il y a si longtemps, chut, Théa, mon enfant chéri, ma petite fille, chut, c'est un secret.

Il suffit que je scrute son visage pendant la course, une fois, une seule fois, ici.

J'étais trop près aujourd'hui, ce n'est pas grave. Il faut que je trouve la bonne distance.

Je penche mon visage dans l'eau pour baigner mes yeux encore et encore. Quand je le relève, je porte un léger masque de mer, un fragile masque de fraîcheur que l'air, à petits coups, cherche à m'enlever.

Où trouver le long de la plage un autre endroit, une autre cache possible ? La bonne distance pour la voir ? Mais où ? Où ?

Dans ses yeux pâles, rien qu'un léger agacement pas même étonné.

Le soleil n'arrive plus à sécher l'eau salée qui se reforme sans cesse sur mes joues.

Maman... Maman... Maman.

Je ne sais plus où est ma bicyclette.

1

— Un de ces jours, ça va craquer.

C'est sans doute ce que vient de dire Isabelle Demur, mais le bruit de sa voix qu'elle ne cherche jamais à imposer, il faut déjà le savoir, a été couvert par un long cri multiple qui se prolonge encore.

En un seul mouvement rassemblé, tous les spectateurs de l'hippodrome de Nouméa, abrités du soleil sur l'estrade de bois aérée, là-bas, à deux cents mètres d'Isabelle, se sont levés brusquement pour mieux croire ce que leur annonce la voix hurlée, rauque, essoufflée, vaguement triomphante du haut-parleur : « Flèche-d'Azur-qui-avait-pris-une-bonne-avance-vient-de-refuser-le-dernier-obstacle-avant-la-ligne-droite-de-l'arrivée-il-va-être-rejoint-dans-quelques-instants-par-le-reste-du-peloton... »

Isabelle s'en désintéresse. Tournée vers l'estrade au toit flottant qui titre pompeusement « Tribune officielle d'arrivée », elle s'étonne, une fois de plus, que ce clair édifice posé dans la vallée, ce fragile équilibre de bois, ces quelques planches hâtivement clouées, supporte chaque samedi le poids et le choc de tous ces corps agités, alignés, superposés, qui se tendent et se détendent ensemble, comme une armée de pantins, selon les variations d'amplitude d'une voix inconnue, celle du commentateur de la course.

Ils sont tous debout maintenant, certains perchés sur les gradins, les mains sur les yeux et Isabelle est sûre que décidément, un de ces jours ça va craquer, que dans une brève reddition, le bois cédera sous eux et qu'on retrouvera pêle-mêle, entassés, les corps éton-

nés, endoloris, mutilés (Isabelle se plaît à imaginer quelques morts) de cet assemblage étrange et bariolé de Mélanésiens et de petits blancs, de Vietnamiens et de Javanais, soudés ici, soudés maintenant, dans une fascination commune pour un cercle de terre où se poursuivent quelques chevaux montés. Un de ces jours, les shorts blancs des petits colons, les robes légères des femmes oisives, les jupons multicolores des popinées, les chemises fleuries des Canaques, tout, tout se fondra, s'effacera, s'aplatira, chaque gradin cédant l'un après l'autre, comme un accordéon refermé sur ses proies...

— Tu veux mon chapeau, Isa, tu es rouge comme l'enfer.

Isabelle sursaute, prise en faute. Elle secoue sa tête blonde, propulsant ainsi une traînée de sueur sur son front et sa joue.

Elle se force à sourire à sa voisine de gauche, accoudée comme elle à la barrière de l'hippodrome : Marianne Fleury l'agace un peu avec sa prévenance ironique et son implacable adaptation à toutes les situations, à toutes les lois de ce climat tropical. Mais Isabelle ne peut guère lui manifester d'hostilité : c'est sur son insistance que sa studieuse compagne a séché le cours de sciences.

Avec une petite moue indifférente, Marianne relève ses tresses brunes dans son chapeau de toile que Isabelle vient de refuser.

Marianne est née dans l'île. C'est une « niaouli » comme on dit ici, du nom de cet arbrisseau rare, au tronc laiteux, qui ne pousse qu'en Nouvelle-Calédonie.

Isabelle est une « métro ». Fille de haut fonctionnaire, elle vient de la métropole, de France, comme Théa, Théa Forestier dont Isabelle sent la présence à sa droite et qu'elle pourrait décrire par cœur tant elle l'aime, tant son image ne la quitte jamais... « ...Jamais. Même yeux fermés, même de loin, même demain, même... Je mens, pense Isabelle, en se mordant les lèvres, je mens. »

Et elle se tourne vers Marianne qui ne lui est rien, mais rien du tout, pour raviver sa fidélité à Théa.

Depuis peu, on les voit, souvent, toutes les trois ensemble. Sournoisement, Isabelle a su imposer à Théa la présence de Marianne. Subtil souffre-douleur, étrangère à leurs liens, Marianne sait déjà ce que Isabelle tait encore à Théa : son départ prochain. Isabelle se sert d'elle comme d'un rempart aux aveux ; elle la protège d'une

intimité douloureuse, coupable. Théa, d'abord étonnée de cette intrusion, ne s'est même pas révoltée, confiante jusqu'à la déraison, persuadée d'un nouveau jeu entre elles, dont elle va deviner les règles peu à peu.

Isabelle ne peut soutenir le regard ironique de Marianne qui a déjà compris pourquoi Isabelle vient de refuser le chapeau dont elle aurait tant besoin. Théa ne dirait rien mais froncerait seulement les sourcils, son visage si vide parfois ne s'éclairerait plus, en fixant brusquement, dans les cheveux libres d'Isabelle, une boucle dénouée, une mèche rebelle. Ce lent, ce très lent sourire alors... Le cœur d'Isabelle se serre et elle se tourne, anxieuse, vers le profil mat de Théa, tandis que vibrent les hurlements du haut-parleur : « Flèche-d'Azur-malgré-les-efforts-redoublés-de-son-jockey-s'est-immobilisé-devant-la-haie-entourée-d'eau-le-dernier-obstacle-qui-lui-aurait-permis-de-terminer-triomphalement-cette-course-le-peloton-se-rapproche-maintenant-dangereusement... »

Isabelle n'écoute plus : Théa, hypnotisée, lèvres entrouvertes, tressaille à chaque coup de cravache.

Brusquement, une dizaine de chevaux font écran devant elles et passent dans un nuage de poussière. Ils galopent vers la ligne d'arrivée, tandis que la voix hurlée prévoit déjà l'ordre des vainqueurs.

Le jockey de Flèche d'Azur a mis pied à terre, il abandonne. Il flatte sa monture qui se calme peu à peu. Il lui fait contourner l'obstacle et la ramène par la bride.

Théa l'attend et au passage le hue avec véhémence, les mains en porte-voix. Marianne et Isabelle sont un peu gênées. Le jockey a l'air très fatigué, triste.

Théa lui crie d'une voix méprisante, en colère, que sa mère a monté Flèche d'Azur la semaine dernière, qu'il a fait un parcours sans faute. Le jockey la reconnaît, il n'entend pas bien ce qu'elle dit, il fait un geste vague d'assentiment ou d'impuissance.

Théa crie encore :

— Vous êtes nul, nul, nullissime !

Marianne entraîne Isabelle dans un rire complice qui souligne que la façon de parler de Théa est affectée, extravagante. Isabelle se demande, le cœur lourd, ce qu'elle fera bientôt du souvenir de

ces éclats. Elle prolonge de quelques notes dissonantes le rire de Marianne.

Théa se rappelle brusquement leur présence et, en un éclair, Isabelle découvre dans ses yeux qu'elle n'était pas fâchée du tout, qu'elle se forçait.

— Alors, mesdemoiselles, on sèche les cours avant les examens de fin d'année, ce n'est pas prudent !

Elles se retournent toutes les trois, prises en faute, vers cet espion qui, dans leur dos, les interpelle et se rassurent aussitôt. Théa et Isabelle lui sourient. C'est un des plantons du Palais du Gouverneur. Lui-même ne devrait pas être là. Il ne dira rien.

Théa le rend complice, un doigt sur les lèvres, et lance :

— On se donne un léger handicap...

— ... On est trop fortes pour le reste du peloton ! termine aussitôt Isabelle.

Marianne rit avec elle mais note une fois de plus la récente et grandissante servilité d'Isabelle aux plaisanteries garçonnières de Théa. « Elle va y laisser des plumes », pense-t-elle sans bien savoir qui elle cherche à atteindre par cette méchante prédiction.

Elles s'éloignent toutes les trois, d'un coup de pédalier bien net de leurs bicyclettes sur lesquelles elles ont suivi la course, accoudées à la barrière du champ.

Elles fendent la foule bigarrée qui, déjà, reflue vers le bas de la Vallée des Colons. De petits groupes reprennent en chœur l'hymne local que le haut-parleur diffuse, solennel :

> *« Nouvelle-Calédonie petite île du Pacifique*
> *Toi la perle des Tropiques,*
> *Petite île où j'ai connu l'Amourrrrr... »*

Le disque est rayé et nos trois héroïnes connaissent par cœur tous les mots distordus qu'elles imitent ensemble.

— On monte au sémaphore ? crie Théa. Ça nous fera une belle descente par la Colline aux Oiseaux.

Marianne n'en a pas très envie :

— C'est trop haut, comment y monter ? C'est trop loin, trop difficile !

— Raison de plus ! rit Isabelle qui se range, roue à roue, au côté de Théa.

Marianne ralentit aussitôt. « Raison de plus ! » Non, décidément, que Isabelle se débrouille toute seule. Marianne ne supporte plus qu'elle imite avec un tel entrain l'exaltation de Théa, cette publicité tapageuse qu'elle donne à son plaisir de vivre des risques dérisoires.

Elle pense aux mains de son père quand il rend la monnaie, au bruit cliqueté du tiroir-caisse dont jamais elle ne leur parlera.

— Je retourne au lycée ! hurle-t-elle, rageuse.

Mais quand Isabelle lui fait de loin un geste d'adieu désinvolte, elle se sent idiote, exclue, elle regrette.

C'est trop tard, Théa et Isabelle bifurquent vers la route qui monte au sémaphore et disparaissent ensemble.

2

Une vieille camionnette gravit péniblement les dédales de la route qui traverse la forêt. Le sémaphore se rapproche à chaque tournant, entre les flamboyants et les pins colonnaires. Le vieux livreur mélanésien grommelle des injures inquiètes à son rétroviseur qui lui renvoie l'image des deux adolescentes, ravies, hilares. Elles ont surgi, comme des diables, sur leurs vélos et se sont agrippées à l'arrière de la guimbarde.

Il a crié dès qu'il s'en est rendu compte, mais l'une d'elles, la brune, l'a prévenu :

— Si tu t'arrêtes, on tombe. Continue, on a l'habitude, on te lâche après les fougères, tout en haut.

Il a peur de se faire engueuler si on le voit, il a peur de leur autorité, qu'il situe très vite. Elles doivent habiter la Colline aux Zozos. Il ricane. Les fonctionnaires de la métropole, qui règnent sur le beau quartier résidentiel de la Colline aux Oiseaux, ne connaissent pas, croit-il, le surnom méprisant que les Canaques lui donnent.

Un nouveau regard vers l'arrière et elles ne sont plus là. Elles ont tenu promesse. Il les voit monter en danseuse le petit chemin de fougères arborescentes qui conduit directement au sémaphore. Il redescend vers la vallée du Nickel, et se calme peu à peu. Il ne se rappelle bientôt que leurs yeux enfantins d'oiseaux rapaces.

Brusquement, il appuie de tout son poids sur le frein. Dans sa

rêverie, il n'a pas vu venir une pancarte insolite. Elle ferme la route qui dessert les maisons grises, éparpillées autour des usines du Nickel.

Comment livrer ses pains de glace qui ne vont pas résister longtemps à la chaleur sous la bâche de la camionnette ?

Les petits Blancs, les moyens pauvres ont enfin obtenu qu'on commence à goudronner les routes de leur quartier. Comment ont-ils fait ? Tout à coup, il s'arrête et passe une main nerveuse dans ses cheveux crépus, grisonnants. Les bagnards ! Comme une armée de fourmis bicolores, leurs uniformes noir et blanc penchés sans trêve sur le chemin, les forçats sont au travail. Une partie de la route est déjà largement recouverte. En une nuit ! Quand ils s'y mettent, les gueux, ça avance vite ! Quelle saloperie de récompense leur a-t-on promise pour qu'ils viennent travailler, une fois de plus, à l'œil, sur la grande terre ? Et pourquoi une route si large ? Les petits Blancs n'ont que des solex ou des vespas pour descendre aux usines du Nickel...

Il se met à klaxonner, sans relâche, pour que les femmes viennent chercher leurs pains de glace. Il n'ira pas plus loin : il ne veut pas se mêler à ces ordures qui volent le travail des chômeurs.

Il est inquiet, la glace fond vite. Et il ne comprend toujours pas. Pourquoi cette route, pourquoi si vite ? Il hausse les épaules et soupire. Encore une huile qui vient de France et qu'on promènera par là...

*

— C'est vraiment le point le plus haut du littoral. On voit tout ou presque. Le port, la mer trouée d'îlots disséminés. La Colline aux Oiseaux, juste au-dessus de nous. Ta maison cache la mienne, Isabelle, mais on voit le parc du gouverneur et le drapeau qui flotte à l'entrée du palais !

La voix de Théa s'éloigne sans cesser de s'exalter. Isabelle, allongée dans l'herbe sur le dos, les yeux clos, reprend sa respiration. Les derniers mètres ont été rudes. Entre ses cils longs et légers elle voit, par fractions de secondes, la haute silhouette blanche, presque phosphorescente du sémaphore, au pied duquel elles se sont arrê-

tées. « C'est drôle d'avoir le vertige à le regarder d'en bas », pense-t-elle.

— Isabelle ! De ce côté, on voit les usines du Nickel et tout l'autre versant de la colline. Je n'avais jamais remarqué comme c'est sale. Tu sais que Marianne habite par là ? Ne bouge pas, repose-toi, je te raconte tout. La camionnette du livreur est arrêtée et notre chauffeur discute avec un type dans une jeep. C'est drôle, on dirait qu'il distribue des copies, il y a tout un petit groupe maintenant autour de lui... Et l'île Nou, si plate en face du port ! Tu sais que c'était un vrai bagne dans le temps ? Mon arrière-arrière-grand-oncle s'en est échappé, c'était un communard. Tu sais comment il s'en est échappé ?

— Non, dit Isabelle méchamment. Elle connaît l'histoire par cœur et elle sait que Théa s'en apercevra au beau milieu d'une phrase. Isabelle se sent devenir cruelle. Elle voudrait faire du mal à Théa. Comme ça, sans raison, pour éviter de penser à la douleur inconnue qu'elle va lui infliger bientôt.

Théa ne se rend compte de rien. Elle semble ivre d'air et d'exaltation. Elle crie : « A la nage ! » et puis elle répète sur tous les tons, bras levés victorieux, vers un ciel qu'elle veut complice, personne, personne, personne ne peut monter plus haut que nous !

— Si, dit Isabelle qui se redresse, bien décidée maintenant à mettre un terme à une exubérance qui l'inquiète et l'irrite tour à tour. Si, dit-elle, le doigt pointé vers une fenêtre en haut du sémaphore, le gardien là-haut.

Théa se retourne et lève des yeux décontenancés.

A ce moment précis, une jeep s'arrête non loin d'elles, dans un crissement de pneus. Un homme brun, trapu, mal rasé, descend dans un halo de poussière rouge, pestant contre des liasses de papier que son arrêt brusque fait s'envoler. Il ne leur parle pas. Il leur lance même un regard hostile quand elles se précipitent pour l'aider à les ramasser. Elles ne lisent pas ce qui est écrit, mais on ne peut éviter de voir le mot « grève » qui revient, maladroitement imprimé. Il leur arrache les feuilles. Il titube un peu quand il ouvre les grilles de protection qui enserrent le sémaphore.

Théa s'est approchée d'Isabelle et murmure sans le quitter des yeux :

— C'est notre homme, c'est le gardien du sémaphore. On lui demande ?

Isabelle, intimidée, chuchote :

— Il aurait pu dire merci, il n'a pas l'air commode.

Elles le suivent des yeux quand sa jeep pénètre dans le périmètre interdit.

— Il me fait peur, dit Isabelle.

— Moi aussi, dit Théa, et, catastrophe, elle ajoute : raison de plus !

Elle enveloppe Isabelle d'un regard grave, un peu boudeur, un peu sournois, insistant, qui jamais ne sera un reproche.

Isabelle connaît bien ce regard. Elle se met à courir. Elle court, elle court vers le gardien, les grilles à franchir, le lieu interdit à pénétrer, le nouveau gage à donner, elle court, les yeux pleins de larmes, liée par l'un de leurs multiples serments, elle court, pour échapper à l'émotion qui lui étreint le cœur.

« Oh ! comme je la hais, comme je la hais bien », pense-t-elle.

*

Le gardien, vite convaincu, leur fait tout visiter.

Dans l'escalier raide qui grince, Isabelle note qu'il émane de lui une légère odeur aigre, une odeur de bière, sait-elle déjà d'avoir vu l'arrière de la jeep jonché de canettes vides.

« Positif », comme dirait Théa quand elle est idiote. Les mêmes canettes le font trébucher, en arrivant dans la pièce du haut. Il jette sur le sol, pêle-mêle, les tracts, qui en rejoignent d'autres. Théa s'amuse de l'avoir pris pour un prof de lycée.

Sans la moindre gêne pour l'incroyable désordre qui les entoure, le gardien efficace, méthodique, leur livre des explications qu'à voir son œil illuminé, Théa a vite transformées en secrets d'État. Il n'est plus question de communion, de partage avec Isabelle. Théa s'échappe d'un endroit à l'autre, avide de tout comprendre, les signaux de jour, les ronds, les triangles de couleurs différentes qui renseignent les navigateurs sur la position des vents, l'arrivée des cyclones, le phare tournant que l'on doit mettre en marche, la nuit,

pour guider les bateaux, la sirène ou corne de brume en cas de danger imprévu.

Elle colle son œil à une longue-vue très perfectionnée qui permet de voir le récif de corail, la dangereuse passe que les bateaux doivent traverser, avant d'être en sécurité dans les eaux calmes du lagon.

Pour que Théa lui revienne, Isabelle questionne le gardien sur l'île des Pins.

— Est-ce qu'on peut l'apercevoir par beau temps ?

L'île des Pins, ce mensonge, où elles n'iront jamais ensemble malgré la promesse qu'elle en a faite à Théa. Sa question, tremblée, reste sans réponse : le gardien est trop absorbé à régler la longue-vue pour Théa. Isabelle ne se calme même pas d'échapper ainsi au frôlement de ce mot hypocrite, qui sonne gai et n'annonce que du malheur.

Théa ne la voit plus, elle n'écoute que la voix rapide du gardien pris au piège de son intérêt passionné, qui explique le trafic important du port, les bateaux de marchandises qui entrent et sortent, chargés de minerai de Nickel, de coprah, de café, de fruits.

— Ils naviguent, poursuit-il, harcelé de questions, vers les Nouvelles-Hébrides, l'Australie, le Japon et bien sûr, la métropole : la France.

Isabelle s'est emparée d'une petite boussole et s'attriste de se plier à ce simulacre d'intérêt pour retrouver le regard curieux de Théa, qui, bien sûr, veut s'en saisir.

— Le prochain paquebot repartira avec sa cargaison de fonctionnaires.

La voix du gardien s'est faite méprisante, mais ce n'est pas pour ça que Isabelle se fige, c'est parce qu'il ajoute : « Il s'appelle *Le Résurgent*. »

Le mot éclate aux oreilles d'Isabelle et se perd dans le bruit que fait la boussole en tombant. Théa la rendait à Isabelle qui n'a pu s'en saisir et fixe, éperdue, sa main vide en répétant : « Déjà... déjà. » Théa s'est agenouillée, mais on ne peut sauver la boussole qui s'est brisée en mille éclats à leurs pieds. Elle voit s'enfuir la jupe rouge d'Isabelle.

— Il me fait peur, ce type, dira seulement Isabelle plus tard, après avoir dévalé, en courant, l'escalier du phare.

Théa l'a suivie tout de suite et ne s'est pas perdue en excuses, bien décidée à protéger Isabelle d'un trouble qu'elle n'a pas compris.

Elles s'enfoncent dans la forêt, silencieuses. Elles poussent leurs vélos dans un chemin de terre qui va descendre raide, étroit. Tacitement, Isabelle laisse le passage à Théa. Mais non, elle ne veut pas.

— Vas-y la première, j'aime mieux te voir devant moi.

Elle ajoute avec gravité :

— Je ne veux plus te perdre des yeux.

Le visage d'Isabelle s'éclaire à la mesure du sacrifice qui lui est fait. Sans plus attendre, elle enfourche — pédalier à mi-hauteur pour que le poids de son corps l'entraîne plus vite — sa bicyclette qui s'éloigne, adroitement, entre les arbres.

Théa la rattrape assez vite et ensemble, l'une derrière l'autre, elles crient de joie et de peur en prenant de la vitesse. Théa regarde Isabelle évoluer gracieusement devant elle, en évitant les embûches. Le soleil déclinant perce parfois à travers les branches et enflamme les cheveux d'Isabelle dont le corps penché, bras souples, cuisses tendues, suit fidèlement chaque tournant qu'impose la présence d'un magnolia parfois, ou d'un flamboyant.

— Attention, prévient la voix joyeuse d'Isabelle, une énorme racine, en travers du chemin !

Théa la voit contourner l'obstacle et ses mains se serrent sur les freins, pour imiter le trajet détourné d'Isabelle. Mais soudain, tout bas, elle murmure :

— Vas-y, Flèche d'Azur, n'aie pas peur.

Ses mains se décrispent et la racine se rapproche de plus en plus vite. Les roues de sa bicyclette la franchissent, brutalement. Théa sent le choc de la selle entre ses cuisses et elle se plie en avant, de douleur, tandis que sa bicyclette continue sa course. Elle ouvre la bouche pour crier, mais elle ne peut déjà plus, concentrée sur des muscles inconnus de son ventre qui suivent pour elle, s'adaptent pour elle aux variations du sol et font de chaque creux, de chaque bosse, de chaque pli et repli du terrain, un lent émerveillement qui monte, monte. La silhouette d'Isabelle s'enfonce et disparaît devant elle, dans la forêt.

L'air s'engouffre dans ses lèvres ouvertes, emplit ses poumons tant et tant qu'elle a peur de ne plus trouver assez de force pour expirer.

Ballottée, en équilibre instable sur sa selle, elle pense vaguement que Flèche d'Azur vient de faire un parcours sans faute et elle voudrait rire mais elle ne contrôle, ne maîtrise plus rien de son corps.

Isabelle, tout en bas, s'est arrêtée, essoufflée, en attente. Mais Théa ne surgit pas derrière elle, le sentier de la forêt reste vide.

Alors elle court aussi vite qu'elle le peut pour lutter contre l'affolement qui la gagne. Elle crie quand elle découvre Théa, gisant sous un arbre immense, un hévéa. Les roues de sa bicyclette, renversée près d'elle, tournent encore très vite. La chute a dû être brutale.

— Théa, parle-moi, tu as mal? Où? Montre-moi!

Les mots se pressent et Théa n'ouvre toujours pas les yeux. Ce sont les cheveux d'Isabelle, penchée sur elle, qui la frôlent et la font tressaillir. Ses cils se soulèvent et elle regarde sans voir d'abord. Et puis son très lent sourire démolit peu à peu la sérénité de ses traits.

— Tu as mal, où? Montre-moi.

Sans la quitter des yeux, Théa pose lentement la main sur son sexe, entre ses cuisses et l'y maintient, immobile.

— Je ne sais pas ce qui m'est arrivé... Je ne sens plus rien. Dommage.

Et elle sourit encore.

Le silence d'Isabelle ne traduit pas sa gêne mais un désarroi incrédule, à l'idée que Théa découvre, à peine, ce qu'elle croyait entre elles un savoir jamais formulé.

Théa a capté, rapide, son trouble. Son regard insiste, questionne : « Vite, vite, pense Isabelle, que je parte, que je m'éloigne d'elle, elle ne sait rien, elle ne comprend rien, je ne veux pas lui ouvrir tous les chemins, je ne veux pas être sa prisonnière. » Elle sent monter une rage liquide qui lui pique les yeux, mais ses lèvres n'ébauchent que d'inoffensives banalités.

— Le sentier était dangereux, tu as perdu l'équilibre, quoi.

Et Théa rit maintenant, rassurée, tête renversée, yeux pleins de ciel :

— Flèche d'Azur s'était emballée...

Isabelle voudrait la battre, la clouer là, d'un mot sanglant. Elle détourne son visage. Elle se force à fixer les roues de la bicyclette qui continuent leur course folle et ralentissent peu à peu. Elle entend à peine la voix de Théa, adoucie, sûre d'elle, qui ordonne :

— Jure-moi qu'on ne se quittera jamais. Jure-le-moi. Jure-le.

Isabelle est comme hypnotisée : le tournoiement d'acier n'en finit pas de s'alourdir. Quand la dernière roue se fige, ses rayons surgissent tous ensemble, et elle s'entend crier :

— Jamais. Jamais.

Elle pense, entre ses bras repliés, qu'on doit pouvoir mourir de honte.

3

Guidon tordu, pédalier cassé, rien à faire. La bicyclette de Théa gît entre les racines de l'arbre à caoutchouc — Jean-Baptiste viendra la chercher, a dit Théa d'une voix distraite en s'installant sur le porte-bagages d'Isabelle.

Dans un mutisme que l'on croirait concerté, elles ont cahoté vers le chemin des villas blanches de la Colline aux Oiseaux. Théa a sauté, en marche. Elles se sont fait des adieux brefs.

Isabelle sait que si elle se retournait, dans le regard de Théa qui la pousse dans son dos à s'éloigner, qui attend presque avec impatience qu'elle disparaisse, elle ne se verrait pas. Le regard de Théa capte les images et les voile aussitôt.

Comme beaucoup de ses proches, interrogée à brûle-pourpoint, elle décrirait de Théa ses yeux marrons ou noirs, ses cheveux sombres ou son teint mat d'Indienne.

Bref, on garde d'elle une impression « foncée », qui correspond mal à la réalité. Elle a une longue chevelure plate, châtain cendré, un teint plutôt clair, une bouche pâle, nettement dessinée par une ligne de taches de rousseur, tout au long de la lèvre supérieure. Quant à ses yeux, ils sont verts, larges et effilés. Mais étonnamment ternes.

Tout son visage, qu'aucune brillance ne vient jamais éclairer, s'organise autour de ce regard — neutre — dont le manque d'éclat retient l'attention, créant une impression de malaise qui, une fois surmontée, laisse d'elle un souvenir tenace, mais souvent faux.

« Le regard de Théa ne renvoie pas la lumière, les images viennent mourir dans ses prunelles », pense Isabelle qui frissonne, reprise par ce rêve répété qui la fait s'enfoncer, s'engloutir, sans pouvoir émettre un son, dans l'eau terreuse d'un marécage : Théa, sur la rive, l'observe et ne bouge pas.

Isabelle secoue ses épaules, comme pour se libérer, et engage sa bicyclette sous le portique de sa villa.

Une impression d'urgence, familière, incontrôlée, envahit aussitôt Théa, précipite ses pas prisonniers.

Elle rebrousse chemin, passe et repasse plusieurs fois devant la grille fermée d'une propriété, fait quelques pas, hésite, puis jette tout à coup son cartable par-dessus le mur d'enceinte. Elle l'escalade ensuite et se blesse un peu les genoux, les coudes, sur les tessons de verre qui n'arrêtent pas notre cambrioleuse.

Elle retombe sur ses pieds, sans mal, dans un grand jardin silencieux et s'approche, d'arbre en arbre, d'une haute maison coloniale qui semble vide, inhabitée.

Elle évite la grande baie vitrée, ouverte, d'une véranda fleurie et se faufile, le souffle court, vers une porte latérale qu'elle ouvre, le plus doucement possible.

Malgré l'obscurité, elle se dirige sans hésitation et sans bruit dans un long vestibule dallé. Elle ralentit ses pas furtifs devant une porte fermée, d'où lui parvient, faible murmure, une voix de femme qui égrène, monotone, des mots inquiétants.

— Oui, coupe, enfonce, encore, plus loin, c'est trop.

Les seins légers de Théa soulèvent plus vite son fin chemisier. Elle s'éloigne sur la pointe des pieds vers un escalier de marbre dont elle commence l'ascension, en comptant chaque marche, comme s'il en allait de sa vie.

— Trois, quatre, cinq, attention où je pose le pied, la sixième marche est descellée, six, sept...

Elle étouffe son souffle et masque sa peur dans le pan de son chemisier qu'elle maintient sur sa bouche. Ses yeux seuls traduisent un espoir grandissant.

— Sept, huit...

Mais elle sursaute alors et lâche son cartable. Dans son dos, une voix de femme vibrante, tendre, persifleuse, vient de l'interpeller.

— Théa Forestier, tu ne m'échapperas pas !

Elle n'a que le temps de se retourner pour apercevoir, dans l'encadrement d'une porte, la main sur la poignée, sa mère que tout l'éclat de la verrière du salon découpe en contre-jour, belle silhouette indéchiffrable. Derrière elle, sur la table, une machine à coudre, sur le sol une robe étalée, des ciseaux.

Théa lance un coup de pied vengeur dans la rampe d'escalier et redescend en courant, tandis que la porte se referme sur cette rapide apparition et que la voix de Marie, sa mère, chante maintenant, haut, gai, vainqueur, son refrain de toujours :

« Théa, Théa, t'es à qui ?
Théa, Théa, t'es à moi... »

Théa se bouche furieusement les oreilles, son chemisier retombe, découvrant ses lèvres pâles et, une à une, les petites dents carrées d'un otage consentant.

*

La cuisine est si grande. Il y a comme un écho quand Benoît dit :

— Combien aujourd'hui ?

Laconique, rapide, sans même lever les yeux de la grenade qu'il ouvre à deux mains et porte sanglante à sa bouche, son frère, de deux ans son cadet, la happe dès qu'elle entre.

— Combien ?

Rosalie, leur nounou noire, évente une casserole qui fume sur le fourneau, à l'autre bout de la pièce. Sans vouloir le montrer, elle aussi attend la réponse.

Théa s'assied à la table, en face de son frère et soupire.

— Huit marches, pas une de plus.

Rosalie se détourne pour cacher un sourire condescendant et Benoît lui jette un regard sévère.

Soupçonneuse, inquiète, elle attend alors le score de son frère, une longue tartine arrêtée, au bout de son bras suspendu.

Benoît prend tout son temps. Il articule, d'un air détaché :

— J'ai atteint la trentième marche.

— Tu veux dire l'étage ? Les chambres ? Sain et sauf ? Tu as gagné ? Vraiment gagné ?

Elle n'en croit pas ses oreilles et la confiture de goyave n'en finit pas de s'étaler sur la table, avant que Benoît ne s'embrouille piteusement.

— Enfin presque... oui, non.

Il baisse les yeux et joue avec les graines rouges, retombées de son fruit.

— Elle m'a abattu à mi-course. Elle a l'oreille fine.

Il achève, entre ses dents, pour que Rosalie n'entende pas :

— Elle est plus rapide qu'un fantôme, on est foutus.

Ragaillardie, Théa attaque son goûter. Elle est rassurée, le jeu continuera.

— Un peu de patience, on y arrivera, tu verras.

Mais Benoît se lève d'une détente nerveuse, et Théa pense très vite, tiens il a encore grandi, il est aussi grand que moi, maintenant. Il répète encore :

— Foutus je te dis. Plus rapide qu'un fantôme.

Théa se demande pourquoi l'expression lui plaît tant, pourquoi un tel pessimisme. Tout à coup, elle devine, la bouche pleine :

— Toujours le nom des îles ? La compo de géographie ?

Il évite de la regarder. C'est comme ça, rien n'y fait, il ne peut pas les retenir. Il grommelle :

— Je n'y arriverai jamais...

Et puis, d'un coup, méfiant :

— J'ai perdu mes anti-sèches, le travail d'une semaine.

Ses yeux s'emplissent d'une telle suspicion qu'il en devient comique. Théa maîtrise mal son fou rire naissant. Rosalie comme toute la famille a assisté à l'énergie désespérée de Marie pour les lui faire retenir. Elle se met à égrener de plus en plus la science qui échappe au filou filouté.

— L'île Houat, Belle-Ile, l'île de Groix, les îles Glénan, l'île de Sein, l'île d'Ouessant, l'île...

Mais déjà Benoît la secoue, tire sur son ample robe large, fleurie, légère mais si sage, si couvrante, imposée à toutes les popinées de l'île, par les sœurs des missions catholiques. Rosalie lutte avec lui pour rabattre sa robe qu'il relève sans cesse sur de nombreux jupons multicolores qu'elle superpose selon la coutume qui prouve, ainsi, qu'elle est une femme très courtisée. A la messe, le dimanche matin, Benoît les a vues, elle et son amie Ayala, au moment de l'élévation, compter et comparer leurs jupons respectifs. Il le lui dit.

Rosalie dément d'une voix grondeuse qui rit entre les mots :

— Si tu crois que j'ai que ça à faire !

On ne sait s'il s'agit des jupons ou de la disparition de l'aide-mémoire, et Benoît la lâche brusquement.

Il a aperçu par la fenêtre, derrière elle, le mauvais regard de Bambo, le jardinier, qui appelle Rosalie.

— Viens voir, ils viennent me narguer jusqu'ici.

Rosalie sort aussitôt et tente de le calmer mais il est plus fort qu'elle, il l'entraîne vers le fond du jardin.

Il crie que ça ne peut plus durer et la voix chuchotée de Rosalie porte autant que la sienne.

— Calme-toi, Bambo, je sais ce que tu vas me dire, ce n'est pas leur faute, ils font ce que le gouverneur décide.

Théa s'est postée devant la fenêtre et les observe. Elle sent, contre ses reins, Benoît qui s'est rapproché, attentif comme elle aux silhouettes gesticulantes.

Bambo injurie deux hommes qui taillent des arbres, en contrebas, dans le parc du gouverneur.

Bambo hurle maintenant que ses frères n'ont pas de travail. Il leur lance des pierres. Rosalie essaie de l'en empêcher. Il leur dit de retourner à l'île Nou, de plus foutre les pieds sur la grande terre ou que sinon il aura leur peau. Il le jure. Les deux types, en bas, rigolent et lui font un bras d'honneur. Brusquement, deux énormes chiens arrivent du fond du parc du gouverneur en aboyant, ils montrent leurs crocs et essaient de monter à l'assaut du mur qui sépare les deux propriétés.

Dans son dos, Théa entend la voix calme de son frère qui dit :

— Les bagnards ! Ils ont des chiens maintenant pour les protéger. C'est le monde à l'envers.

Elle répond que ce ne sont pas des bagnards, mais des « droit-commun », et puis elle hésite et elle ajoute :

— Les chiens, c'est pour les empêcher de s'enfuir.

Mais lentement, elle n'est plus sûre de rien. Elle a peur du silence qui retombe entre eux. Peur. Elle ne sait pas trop de quoi.

Alors elle saisit les bras de son frère dans son dos et s'en entoure la taille.

— Benoît, des parents aux yeux clairs ne peuvent avoir que des enfants aux yeux clairs. C'est génétiquement indiscutable. Tu le savais ?

— Et alors ? dit Benoît dont la voix faiblit. Il a les yeux d'un bleu plus pâle que son père, aussi clairs que ceux de Marie qui le lui dit souvent : « Un bleu lavande, mon fils, le plus rare, comme moi. »

Théa sait qu'elle le tient. Elle a suivi, à son pouls qui s'accélère, le cours de ses pensées, elle sait son doute renaissant, qu'elle aime entretenir. Il est tout blanc quand il la retourne vers lui et qu'elle grimace, en s'étirant vers les tempes, des yeux de Chinoise.

— Mon père était capitaine dans l'armée de Bao-Daï.

Elle s'invente, parfois, des pères imaginaires. Benoît n'aime pas ça, il lui tord les poignets et constate une fois de plus ce qu'il sait pourtant, le gris-vert, le vert ardoise mais le vert indiscutable des yeux de Théa, de Théa sa sœur qui pleure de rire à présent, devant sa mine déconfite.

Elle rit tant que Benoît oublie, derrière elle, Rosalie et Bambo. Ils se battent pourtant, avec un des chiens qui a sauté le mur de pierre et tente de les mordre.

Théa répète en se balançant, pliée vers l'avant, comme si elle se tenait le ventre de douleur :

— Frère et sœur, frère et sœur, oui, oui, frère et sœur...

Benoît n'aime pas sa voix quand elle dit ça. Il voudrait la frapper ou la prendre dans ses bras, ce qui lui arrive souvent.

Il attend un peu mais, comme elle continue sa litanie, il a de la peine et il la laisse là, dans sa position ridicule. Il s'en va en se disant que s'il ne la regarde plus, elle va s'arrêter, se relever. Mais il se trompe, elle n'en finit pas. C'est long.

4

Le soleil oblique, déclinant, de cette fin d'après-midi d'été (décembre aux antipodes de la France, c'est l'été qui commence, sans toutefois changer grand-chose aux caractéristiques de ce climat tropical) insiste, rouge, menaçant, comme s'il lui fallait rappeler sa loi avant de céder la place à la lune et aux premières étoiles qui occuperont avec lui le ciel, pendant plus d'une heure.

Un long rayon net, implacable, a transpercé à droite, en diagonale, l'efflorescence du lierre qui borde la fenêtre du salon et forme sur une latte de bois du parquet un cercle parfait, pas plus grand que le bout de l'index avec lequel Théa le recouvre, illuminant ainsi son ongle carré aux bords de chair mordillée, mâchée, mangée, avalée, presque à vif, un peu sale aussi, terreux de la chute, sans doute, quelques heures plus tôt, dans la forêt du sémaphore.

Théa frotte méthodiquement de son doigt ce petit cercle de lumière, qui très lentement recule et lui échappe, sans jamais rien perdre de son éclat.

C'est avec un mélange de soulagement et de douleur qu'elle pousse un léger cri quand une écharde de bois la transperce et arrête son mouvement monotone.

Elle porte son doigt tendu à sa bouche et le mord de part et d'autre de l'écharde qu'elle cherche ainsi à expulser. En vain. Son doigt est bientôt rouge, gonflé. Bien qu'elle n'aperçoive plus au milieu la tête minuscule de l'écharde, elle en sent toujours la présence aiguë, brève, quand elle promène son doigt sur sa lèvre, du

haut vers le bas. Dans l'autre sens, elle ne sent rien. Elle refait plusieurs fois ce test de douleur toujours positif et se plonge ensuite dans la contemplation fascinée de cette surface de chair qu'elle a appliquée consciencieusement, pas plus tard qu'hier, dans de l'encre d'imprimerie, puis sur son cahier, parce que le professeur de français avait dit, soulevant dans la classe des mouvements de protestation, « décrivez un centimètre carré, n'importe lequel, à votre guise », et que Théa, tout de suite, avait décidé de décrire son empreinte digitale et qu'elle s'était plongée, oublieuse de tout, dans le labyrinthe de tous ces cercles concentriques qui jamais ne se recoupaient.

Malgré le gonflement de la chair meurtrie et presque grâce à lui, les sillons apparaissent aujourd'hui plus nets encore et Théa, tête baissée sur ces minuscules lignes géométriques qui luttent contre le-signe-particulier-néant de sa carte d'identité, sa frange et ses cheveux lisses lui encadrant le visage, assise sur le plancher, s'est enfin immobilisée toute.

Grâce à cet effort de concentration, la voix de sa mère, pourtant toute proche d'elle, lui parvient étouffée, assourdie, comme par les petites boules élastiques dont son père lui fermait les oreilles, lui protégeait les tympans quand elle plongeait avec lui, en pleine mer, armée de son scaphandre et de son fusil sous-marin. Elle pouvait ainsi le suivre dans les profondeurs, sans douleur (une fois, elle avait plongé au Trou Bleu, à Bouraïl, du haut des rochers et était ressortie hurlante, le tympan percé), des heures durant, tout au long du récif de corail, là où les poissons multicolores, parfois une raie géante, étaient les plus nombreux. Les requins, elle n'en avait plus peur parce que son père soufflait à leur approche dans une corne de nacre qui produisait un son que seuls, disait-il, les requins entendaient. A Nouméa, certains n'y croyaient pas à cet instrument magique, mais Théa avait confiance depuis qu'elle avait assisté, une fois, près des îles, au recul instantané d'un requin-marteau.

Le seul souci de Théa, sa seule préoccupation, au fond de l'eau, était de penser à garder joints, bien fermés, tout en nageant, les doigts de ses mains et de ses pieds, à cause des serpents de mer. Pas les serpents rayés noir et jaune, lents et familiers qui se logeaient

sans qu'on le sache dans les chaussures laissées le long des plages, non, les noirs, courts, vifs, qui vous mordaient, à mort, s'ils arrivaient à planter les petits crocs de leurs têtes allongées dans votre chair. Mais leurs gueules ne s'ouvraient que de quelques millimètres si bien qu'ils ne pouvaient s'attaquer qu'à une épaisseur très mince de chair, celle par exemple qui joint les doigts de la main quand on l'étend, très large...

Théa referme vite, en un poing rond qu'elle serre, sa main écartelée qu'elle offrait au danger imaginaire.

— Théa, j'ajoute encore un volant ? Oui ? Non ? Tu m'écoutes ? Réponds-moi, je m'ennuie. C'est pour le bal du gouverneur. Théa ?

Marie Forestier, debout sur la table de la salle à manger, pour mieux se voir dans le grand miroir ovale, en face, pieds nus, virevolte en faisant voler sa nouvelle robe qu'elle termine à peine. Elle articule mal, de sa voix chantante, parce qu'elle a des épingles dans la bouche.

Théa, assise par terre, a levé, rapides, plusieurs fois, ses yeux mi-clos, vers cette jeune géante dont les jambes bronzées, sur la table au-dessus d'elle, trépignent de gaieté impatiente.

— Théa, Théa, un volant ou deux, aide-moi !

Une fois, Isabelle lui a dit, ta mère elle est si gaie, on dirait qu'elle se force, et devant la petite ride méchante qui s'est formée entre les sourcils soyeux, arqués, de Théa, elle a battu en retraite ajoutant je ne sais pas pourquoi je dis ça, n'y pense plus, mais depuis, bien sûr, Théa y pense.

Un nouveau coup d'œil rapide et, à nouveau, ce léger vertige que Théa s'emploie maintenant à maîtriser : c'est une petite fille aux yeux candides que Marie entend moduler d'une voix calme :

— Je t'aime mieux en costume de cheval. Ce matin, je t'ai vue partir à travers les jalousies. Il faisait encore nuit.

A peine une légère accélération dans le débit de Théa pouvait annoncer le bond brusque de Marie qui se retrouve devant Théa et lui enserre les épaules d'un étau menaçant.

— Chut, Théa, c'est un secret, je suis toujours rentrée pour le petit déjeuner, alors n'en parle pas, ne dis rien, promis ?

Théa secoue ses cheveux pour acquiescer au secret une fois de

plus, une fois encore — Marie se le rappelle-t-elle ? —, mais s'entête quand même, d'une voix un peu altérée.

— Tu galopes le long d'une plage ? Pourquoi toute seule ? A l'Anse Vata ou à la Baie des Citrons ? Pourquoi si tôt ?

Sa mère est trop près d'elle, Théa la voit mal quand elle répond, après un silence :

— Je ne sais pas. A cause du bruit peut-être. Il n'y en a pas. Pas un son. Pas d'alizé. Pas un souffle.

Théa voudrait reculer. Le mur contre son dos l'en empêche et le visage trop proche de Marie reste flou. Elle a mal aux épaules, Marie a oublié qu'elle la serre toujours.

Elle se dégage enfin quand Benoît fait diversion en entrant, furieux, dans le salon. Il tient, à bout de bras, le sac ouvert de sa mère qu'il agite, sans respect, et de l'autre, un mince ruban de papier, couvert d'une écriture serrée.

Il prend une voix fâchée, autoritaire, pour dire qu'il a retrouvé ses anti-sèches.

— J'ai retrouvé mes anti-sèches. Je crois de mon devoir de te demander des explications que j'écouterai sans m'impatienter.

Théa s'émerveille de ce qu'il imite si bien leur père ; elle, elle ne sait pas.

Les yeux de Benoît luisent de plaisir.

Marie s'échappe d'un bond mais il la rattrape et la force à s'agenouiller. Il la maintient ainsi, un pied sur son épaule courbée. Elle mime le désespoir, mains levées et jointes.

— Pitié, mon doux seigneur !

Il lève son bras très haut et s'apprête à la frapper. Elle dit alors, très vite, des mots incompréhensibles, en vietnamien. Théa en reconnaît quelques-uns au passage, venus de sa lointaine enfance à Saigon, quelques années avant la naissance de Benoît. Ce sont des mots d'offrande, d'humiliation et de frayeur, quelques injures ordurières aussi. Théa revoit la brusque plongée dans le noir, la rue des Capucines privée de courant quand les Vietminh attaquaient, l'affolement des parents, les rires des enfants courant en aveugles dans les couloirs, leurs pieds libres, triomphants, glissant sur les dallages de marbre encore chauds. « Maman, maman, je suis tué, retrouve mon corps. »

Benoît a du mal à garder son sérieux quand Marie parle vietnamien. Ces saccades étranges, les mines qu'il faut faire pour bien le prononcer, ces sons aigus l'étonnent toujours et il ne peut maintenir sa pose martiale.

Il se jette sur elle et ils ne sont plus, bientôt, qu'une mêlée blonde, dans laquelle Théa s'apprête à entrer.

Mais elle entend alors, comme eux qui s'immobilisent, le bruit lointain et caractéristique de la voiture paternelle franchissant les grilles du jardin. Sept heures déjà.

Chacun se relève. Marie remet sans un mot et sans hâte de l'ordre dans sa tenue.

Benoît s'empare, impromptu, des escarpins à talons de sa mère.

— Confisqués, murmure-t-il sévèrement.

Marie le poursuit en bousculant Théa qui se dirige, elle aussi, vers la porte.

— Rends-les-moi !

Mais Benoît a déjà disparu, en haut des escaliers.

Le regard implorant que Marie lui jette n'y fera rien : Théa sait trop le prix d'un butin de guerre.

5

— Tu ne seras pas là, c'est tout ! avait dit Isabelle à son frère. Et Sébastien l'avait très mal pris.

Il avait argumenté, insisté, pour faire ses adieux lui-même, par « courtoisie » pour son répétiteur, avait-il précisé et ce mot précieux dans la bouche de cet enfant de dix ans n'avait pas surpris Isabelle. Elle était même sûre qu'il était le fruit de l'influence de Jean-Baptiste, de cette année de leçons particulières, qui touchait aujourd'hui à sa fin, la dernière devant avoir lieu, ici même, dans leur chambre commune.

Isabelle s'entêtait à en priver Sébastien, prétextant le désordre de l'endroit, les malles ouvertes, les habits à trier. Sentant qu'elle ne céderait pas, Sébastien était devenu fou de rage.

— Je raffole de Jean-Baptiste, avait-il dit, et le mot, une fois de plus, avait fait sourire Isabelle — doublement —, parce que moi aussi, avait-elle pensé, moi aussi j'en raffole, c'est tout à fait le mot qui convient.

Sébastien était d'un naturel violent, au contraire de sa sœur qui s'étonnait toujours de la rapidité avec laquelle le sang colorait son visage. Il s'était vite décidé à « tout casser dans cette baraque » à coups de pied et de gestes désordonnés, ce qui n'avait eu pour effet que d'ajouter un peu plus de vêtements sur le sol, hors des placards et des malles, tâche que Isabelle s'était de toute façon fixée, avant de décider ce qu'elle emporterait et ce dont elle se séparerait.

Elle était donc restée, devant cette petite toupie hurlante, d'un calme total.

A bout de ressources, Sébastien s'était jeté sur une poupée de celluloïd que Isabelle regardait parfois, avec gravité, bien qu'elle se sentît loin de son attachement d'autrefois. Il n'empêche que la poupée trônait encore sur le lit d'Isabelle et que Sébastien venait de s'en saisir, en hurlant qu'il allait recommencer, qu'aucune promesse ne tenait plus entre eux et il était enfin sorti, la poupée sous le bras, sûr de tenir un crime à la hauteur du ressentiment qu'il éprouvait contre sa sœur.

Ce qu'il allait recommencer, ce qu'il allait faire de cette poupée, Isabelle le comprit aussitôt et son cœur se serra un peu, non d'appréhension, mais au souvenir de la douleur, de la honte, de l'humiliation qu'elle avait éprouvées la première fois que Sébastien avait choisi contre elle ce moyen de défense. Il l'avait tout simplement promenée, mais nue, à bout de bras, l'exposant à tous les regards, à tous les quolibets des enfants de la colline que ses cris injurieux, vantant son forfait, attiraient aux fenêtres.

Elle l'avait retrouvée plus tard, dans le sac à linge sale, des piments verts dans ses yeux enfoncés, un piment rouge planté dans l'orifice rond que les fabricants de jouets prévoient entre les jambes des poupées sages, pour que leurs sages petites mères s'appliquent, après l'eau du bain, à la leur faire expulser. C'est loin, c'est loin ce chagrin ! s'énerve Isabelle, que le temps enfui poursuit et rattrape, là, dans ce triangle de chair nue sur sa hanche, que sa vieille jupe plissée d'hiver, malgré ses efforts, ne peut plus recouvrir. « Tout est trop petit maintenant. Dire que je la portais encore à Nice, il y a deux ans, au dernier congé de papa. Peut-être qu'en défaisant l'ourlet, elle pourrait couvrir mes genoux, mais là, les hanches, non, c'est fichu, je me suis arrondie. »

Le sourire charmeur qu'elle se lance dans la grande glace dément l'irritation de sa voix.

Trois coups brefs et la porte poussée dans son dos l'immobilisent à peine une seconde. Elle se retourne vite, désinvolte et rieuse, vers ce grand garçon dont elle raffole, ce grand garçon mince et long, aux traits fins, au regard aigu de myope qui s'apprête déjà à battre en retraite.

— Excusez-moi, j'avais rendez-vous avec votre frère, j'espérais le trouver ici.

— Entrez, Jean-Baptiste, je vous attendais.

Isabelle, prompte, a refermé la porte derrière lui et feint, dans son mouvement, de découvrir l'étroitesse de sa jupe.

— Pourriez-vous m'aider, dit-elle, montrant sa hanche nue, je n'y arrive pas.

Les doigts froids, fins, de Jean-Baptiste s'y emploient poliment. Il s'est penché et Isabelle ne voit plus que le flot noir de ses cheveux souples au-dessous d'elle, si près, et son bras mince, si mince, si droit, qu'il ne laisse pas le temps au poignet de marquer sa place, avant que la longue main ne se forme. Elle ne retient plus son souffle et exhale, malgré elle, un long soupir qui gonfle son ventre, interrompt le chemin de la fermeture Éclair que Jean-Baptiste s'escrime à remonter, si bien qu'il se déploie très vite, au-dessus d'elle, furieux de ce qu'il devine, de s'être fait prendre au piège.

— Je vous vois venir, dit-il, en lui tournant le dos. Je m'en vais.

— Pas question, rit-elle en le poursuivant, mais quelque chose l'arrête dans son élan.

Un sifflement familier qui s'enfle et se tait, modulé, précis, la précipite contre le sol. Elle s'extrait, rapide, de sa jupe d'hiver et de son pull, si incongrus par cette chaleur. Elle se retrouve presque nue, oublieuse de Jean-Baptiste, loin de toute coquetterie. Une contorsion nouvelle fait glisser sur son corps sa robe légère. Et puis vite, elle monte sur le rebord de sa fenêtre. Théa, de sa chambre en face, lui fait des signaux avec des chiffons multicolores. Isabelle reconnaît les gestes que leur a enseignés le gardien du sémaphore. Elle y répond d'un sifflement presque identique à celui de Théa et les couleurs, en face, disparaissent.

Isabelle reste assise, songeuse, quelques secondes encore, à fixer le vide. La voix brève de Jean-Baptiste la fait sursauter.

— C'était Théa.

Il le dit, il n'interroge pas. Isabelle le cherche des yeux et le retrouve, recroquevillé contre un mur, dans la chambre assombrie. Assis par terre, jambes repliées, quasi fœtal, elle lui trouve encore une grâce si impérieuse qu'elle enrage.

— Tiens, je vous croyais pressé.

Elle simule, comme un exorcisme, une nonchalance dont il n'a que faire. Elle le lit clairement, dans le sillon qui s'est creusé entre ses sourcils, trop fins, trop mobiles. Il la suit de son regard de myope, il ne la lâche pas.

Elle feint de remettre un peu d'ordre, hésite devant un vieux pull rose qui, de toute façon, ne lui recouvrirait plus le nombril.

— Mon frère ne pourra pas venir, au fait, il m'a priée de l'excuser auprès de vous.

— C'était Théa, insiste-t-il. Que voulait-elle ?

— Mais que je vienne la voir, encore, toujours, ce soir, ses parents seront sortis. Je l'aime beaucoup, vous savez...

Elle dit ça avec une sorte de gaieté appliquée mais brusquement elle cède et tout lui revient : le sable sous ses reins, le bruit des vagues, sa jupe à relever, son slip à écarter d'une main tandis qu'elle guidait de l'autre, vers elle, le sexe dur et chaud de ce jeune homme aux yeux fous. Et puis la fuite de Jean-Baptiste, brusque, honteuse. Il était revenu en courant et lui avait baisé un genou, juste au-dessous de la tache humide qu'il avait laissée sur sa cuisse. Isabelle avait joué longtemps à dessiner sur sa peau des lignes brillantes sous la lune, en se répétant demain, demain, je le reverrai. Mais c'était loin, maintenant. Demain... demain...

— Non.

La voix froide de Jean-Baptiste vient recouvrir sa gaieté forcée.

— Comment non ?

— Non, vous ne l'aimez pas. Vous n'avez pas cessé de me tourner autour cette année et pourtant vous connaissez mes sentiments pour elle.

Isabelle se venge vite, sans effort.

— Mais elle s'en fiche, c'est elle qui me l'avait demandé, qui m'y a incitée, il y a longtemps.

A peine une hésitation, et il décide gravement :

— Je comprends. Elle voulait me mettre à l'épreuve.

— A l'épreuve, oui sans doute, c'est bien son genre, mais vous ou moi ?

Elle l'a dit méchamment, dents serrées, et elle soutient son regard, long pourtant. Comme il est blanc et noir, ce teint, ces yeux, je voudrais qu'il me touche. Une fois encore.

Lui se tait un peu et puis sa voix se précipite tandis qu'il déplie ses jambes et se lève.

— Vous avez peut-être raison, je perds espoir quelquefois, et il ajoute : « Je ne vous aime pas, Isabelle. »

Elle s'est dressée à son tour et c'est l'émotion maintenant qui la tient droite en face de lui qui n'en finit plus de lui faire du mal.

— Je vous devine dans chaque regard de Théa, mais ce sont ses yeux que j'aime. J'ai été jaloux de vous, dès que je vous ai vues ensemble, jaloux qu'elle suive chacun de vos gestes avec tant de fièvre. Mais vous ne la valez pas, Isabelle, vous ne lui arrivez pas à la cheville, vous êtes fausse et elle le saura un jour.

Dans les yeux d'Isabelle, l'ironie s'embue, se noie, quand il ajoute :

— Ne vous y trompez pas. Votre court attrait à mes yeux est né de sa passion pour vous.

Il ne s'arrête pas, il est trop cruel. Elle se raccroche à ce trop, à cet excès, elle veut de toutes ses forces y entendre un démenti. C'est difficile, c'est impossible. Il ne lui laisse aucune chance, il l'encercle, l'étouffe de détails nouveaux.

— Un jour, ici même, vous vous êtes pris la main dans cette fenêtre et, à votre cri, j'ai cru qu'elle allait défaillir. Je n'ai jamais haï quelqu'un avec tant de force.

Il est très près d'elle, ils tremblent tous les deux, elle s'appuie contre lui, sa joue contre sa chemise entrouverte, elle entend son cœur, il la laisse faire, il ne bouge pas. Elle murmure des mots de reddition :

— Vous faites fausse route, Théa me voit mais elle ne m'entend pas, j'ai souvent cette impression que je ne suis qu'une image pour elle, elle m'aime moins que je ne l'aime.

Il la serre contre lui méchamment.

— Vous mentez, vous essayez encore de me faire du mal.

Isabelle suffoque et se détache de lui, de son injustice. Elle proteste.

— Comment le pourrais-je ? Quel mal ? Vous ne comprenez donc pas ? Mais regardez autour de vous, ces malles, ces vêtements. A les voir, Théa aurait déjà compris, elle. Je m'en vais, vous m'entendez, je pars avec ma famille, dès la fin des cours. Nous embarquons

pour Marseille à bord du *Résurgent*. Nous y passerons trois mois et puis papa est nommé quelque part en Afrique. Je ne reverrai plus Théa, ni vous, ni personne de mes amis d'ici.

Jean-Baptiste la guette dans ses gestes, la guette dans ses cris. Il arrive à articuler.

— Elle le sait ?

Elle se cache les yeux. Elle croit à son chagrin qui s'est docilement déplacé. Elle persévère :

— Non, pas encore, je ne peux pas, je n'en ai pas la force ; on avait fait tant de projets pour les vacances : l'île des Pins, ensemble.

— Le plus tôt sera le mieux.

Elle perçoit dans la voix de Jean-Baptiste un fond d'inquiétude encore, mais en un éclair, dans ses yeux fiévreux, un tel soulagement.

Alors Isabelle scande presque les mots suivants :

— Elle m'a dit qu'elle se tuerait si on nous séparait.

Elle est à peine soulagée qu'il perde contenance, que ses longues mains s'enfoncent dans ses cheveux, c'est un geste qu'elle lui connaît bien, qu'elle voudrait faire à sa place. Lui ne sait que répéter :

— Que vais-je faire, que vais-je faire ?

Elle devrait dire, pitié, vous allez faire pitié, vous êtes pitoyable, mon pauvre vieux, sortez. Mais elle saisit avec volupté l'appel à l'aide dans sa voix et déjà elle croit le garder, tout maîtriser.

— Vous ne lui êtes pas indifférent, condescend-elle, je crois que vous pouvez l'aider à supporter notre séparation. Ne la brusquez pas et ne lui dites rien de mon départ, je m'en charge.

Elle lui tend au passage une liasse d'argent qu'elle sort d'un tiroir.

— Tenez, voici l'argent que l'on vous doit pour le dernier trimestre de Sébastien. Papa me l'a remis pour vous. Il vous remercie. Sébastien a fait beaucoup de progrès grâce à vous.

Si Jean-Baptiste empoche calmement l'argent, elle ne s'attend pas à sa voix sifflante.

— Je le prends, parce que je l'ai gagné. Mais je n'ai besoin de rien d'autre, ni de vos conseils, ni de votre sollicitude. Je vous ai percée à jour depuis bien longtemps. Vous voulez régner toujours, partout, même après votre départ.

Isabelle fait l'étonnée, pas mécontente de ce portrait :

— Je vous cède la place, c'est tout.

Il se retourne, sous le choc, et puis il rit pour la première fois.

— Vous ne me cédez rien du tout. Vous le savez fort bien. Ce que j'obtiendrai de Théa, tout, je l'obtiendrai d'elle et non de vous. Vous n'avez aucun rôle à jouer entre nous.

Elle claque la porte, elle crie :

— C'est à voir !

Il lui faut du temps pour retrouver son calme. Elle essaie diverses méthodes : la respiration profonde, le tour de la chambre en évitant de marcher sur les lignes qui joignent les lattes du plancher (comme il y a deux ans, quand elle se relevait la nuit tant ses jambes lui faisaient mal — une crise de croissance, avait dit en souriant le docteur Royan), les vêtements rangés avec soin, un à un. Rien n'y fait.

Elle s'assied sur son lit et se dit qu'elle devrait pleurer, « maman dirait pleure, pleure, ça fait du bien », même le rappel de cette cruauté légère ne l'aide pas, ses yeux sont secs. « Comme mon cœur. Jean-Baptiste a raison. »

Elle essaye alors de fixer la lumière qui s'allume là-bas dans la chambre de Théa, « je ne la reverrai plus ». Elle contemple les malles refermées devant elle, entre elles, rien. Elle a beau se répéter « plus jamais, plus jamais », elle ne se sent que vaguement fatiguée.

Il faut une petite peur, que la tête de Sébastien s'encadre dans la fenêtre, pour que le sursaut d'étonnement qu'il provoque aide une lourde larme, suivie d'une autre, à se frayer un chemin sur sa joue.

— Isa, je peux revenir, tu n'es pas trop fâchée ?

Mais elle suffoque de chagrin maintenant et son petit frère s'affole de culpabilité.

— ... Isabelle, ne pleure pas, je ne l'ai pas touchée, regarde, regarde !

Il brandit la poupée dérobée qu'il pose contre elle.

— ... Ne pleure pas, je t'en prie, ou je vais pleurer aussi. Il ne s'est rien passé, rien du tout, elle est intacte, je ne l'ai même pas déshabillée, se défend-il.

Elle répète, mécaniquement.

— Il ne s'est rien passé...

Et pendant longtemps, elle berce sa poupée en sanglotant. Et puis elle se calme, on dirait. Elle a l'air comme endormie, les yeux ouverts, la tête renversée.

Sébastien s'est mis tout contre elle. Il voit l'intérieur de ses narines : un liquide blanchâtre palpite doucement. Il n'ose pas bouger.

Il faut attendre la cloche du dîner qui retentit presque en même temps dans les deux villas voisines pour que le tableau pétrifié qu'ils forment, l'un contre l'autre, se remette en mouvement. La poupée roule, dans leur élan, sans se casser.

6

Bambo sort de l'ombre. D'un pas incertain, il fait crisser l'allée de graviers avant de pénétrer dans la cuisine illuminée des Forestier qui s'ouvre sur la nuit. On entend tinter l'argenterie, les cristaux, dans la salle à manger voisine. Rosalie n'est pas là. Elle sert le dîner du soir. S'il tend un peu l'oreille, des bouts de phrases lui parviennent.

— … ton manque d'assiduité aux Thés du Jeudi.

Ça, c'est la voix mesurée du sous-gouverneur.

— La chipie s'est plainte à son mari ?

Le rire moqueur de Marie Forestier rattrape les sombres pensées de Bambo qui scrute, dans le noir, là-bas, les feux légers que les bagnards ont allumés pour passer la nuit.

— Marie, cesse de faire l'enfant ! Monique Despasse n'est pas une chipie ! Et elle ne s'est pas plainte. Elle s'est tout au plus inquiétée de ta santé et le gouverneur ne m'a transmis que cette inquiétude.

Bambo n'écoute plus. Il sait que Rosalie lui racontera tout. Parfois, la nuit, après l'amour, alors qu'il la serre encore contre lui, elle imite dans son oreille les algarades de ses maîtres, le ton cérémonieux de l'un, l'insolence furtive de l'autre. Il sait d'avance l'inévitable reddition de Marie devant son époux. Charles Forestier semble susciter à plaisir des élans d'agressivité, pour mieux les dompter ensuite. « J'aimerais qu'il crie, non qu'il gueule, une fois, rien qu'une fois », pense Bambo qui en sculpte d'énervement la table de cuisine avec son canif.

Rosalie n'a pas vu son geste, quand elle revient, un plat à la main. Elle a ralenti ses pas pour ne rien perdre des inflexions ironiques que Marie module.

— Très bien, j'irai. J'engloutirai tous les infects petits fours, je rirai à gorge déployée de tous les cancans...

— Mais non, tu les feras taire !

Décidément, il n'est jamais content, pense Rosalie. Elle adore Marie, surtout depuis qu'elle lui apprend à conduire sa quatre-chevaux, en cachette. Elle a beau prévoir que c'est pour mieux se décharger sur elle de toutes les courses qui l'assomment, Rosalie préfère ça. Elle imagine la tête d'Ayala quand elle la verra passer au volant d'une voiture et un frisson de plaisir l'envahit.

Bambo s'est levé pour qu'elle sache sa présence et elle tressaille, hostile, étonnée.

— Pas ce soir ! Qu'est-ce que tu fais là ? D'ailleurs je croyais que tu n'étais pas libre, que tu devais rencontrer les dockers du Port, tes nouveaux amis qui te fourrent ces sales idées en tête ?

Elle s'active sans plus lui prêter attention. Il vient dans son dos et la frôle.

— Je t'ai apporté un cadeau.

Elle se retourne vite et pointe vers lui sa paume rose, mi-accusatrice, mi-quémandeuse.

— Ne cherche pas à m'acheter, Bambo Lévinasse ! Tu as su, grâce à moi, le jour de l'arrivée du ministre mais tu ne m'auras plus... Donne. Quelle couleur ?

Il ouvre, hors de sa portée, un sac en papier. Un beau jupon safran crisse dans l'air. Rosalie, l'œil illuminé de plaisir, compte sur ses doigts.

— Cinq. J'en ai cinq maintenant, autant que Sayona. Donne, donne !

— Alors, mets-le tout de suite.

Elle s'en saisit, rapide, et soulève ses jupes pour l'enfiler, sous le regard ardent de Bambo. Il murmure « ma beauté, ma beauté » et, avec un rire coquet, elle sort dans l'ombre du jardin. Par pudeur ou pour l'attirer peut-être.

La sonnette de la table retentit, insistante, mais elle ne l'entend

pas. Après une seconde d'hésitation, Bambo s'empare du plat qu'elle avait préparé et s'éloigne vers la salle à manger.

*

— Tiens, tiens, bonsoir Bambo, tu viens aider ta promise, c'est gentil ça...

Si c'est gentil, c'est en tout cas interdit.

— Chacun à sa place, a dit un jour le maître.

Bambo ne l'a pas oublié. Mais Marie Forestier profite de l'occasion pour couper court à la solide argumentation de son mari sur les bienfaits de la convivialité « entre Blancs », dans ces territoires retirés d'outre-mer...

Théa et Benoît, que l'étonnement rend muets, le saluent à peine et Charles Forestier le fixe de son regard froid. « Regard de serpent », disent les indigènes.

Il a levé, plus haut encore, son sourcil arqué, jaugé en une seconde l'intrus qui se sent devenir lourd et tremblant, qui sourit gauchement en avançant vers la table.

Il présente le plat à Marie, du mauvais côté, semble-t-il, puisqu'elle le lui enlève des mains et lui dit merci doucement, qu'ils se serviront seuls.

Lui ne peut détacher son regard de Charles Forestier. Son visage bronzé, sec, encore jeune, est entouré d'un halo de clarté. Ses cheveux, entièrement blancs, sont lissés vers l'arrière. Son front haut, son nez mince, presque pincé, le feraient tout à fait beau sans une bouche aux lèvres absentes qu'il ne desserre toujours pas.

— Excusez-moi, monsieur, je voulais vous parler.

Bambo s'est légèrement incliné, en disant cela. Il entend sa propre voix balbutiante, sent les muscles de son corps au garde-à-vous, et c'est bien son image servile que lui renvoie le bref sourire de Charles Forestier. D'un rapide mouvement de tête, il fait savoir qu'il pardonne.

— Je vous en prie, mon ami, parlez.

Ses mains de prélat reposent sur la nappe blanche. Plus l'ombre d'un reproche dans son attitude, rien que cette invite bienveillante à s'expliquer.

Bambo sent une araignée légère courir le long de son bras et il essaie de la chasser. Rien, rien qu'un mince filet de sueur qui coule de son aisselle. Alors son courage le quitte. Il oublie sa responsabilité de délégué, il oublie la promesse à obtenir, les sales bagnards à faire renvoyer à l'île Nou. Il dit, d'une voix d'enfant geignard, hypocrite :

— Pourquoi on ne vend plus de vin aux Noirs, le samedi, jusqu'au lundi ? Quand on est crevé, ça remonte.

Le silence autour de la table se défait. Benoît s'est remis à manger, Théa fait tinter son verre. L'imperceptible ride de tension sur le front de Charles Forestier disparaît. Bambo réalise, sans joie, qu'il lui a peut-être fait peur, rien qu'une seconde.

La voix de Marie le cingle, méprisante. Elle le renvoie aux cuisines.

— Ça suffit. Mon mari n'y peut rien. C'est une décision du gouverneur.

Bambo est lâche, c'est ce que Théa entend dans la voix de sa mère. Elle y entend aussi l'écho de sa propre déception et, dans le choix malicieux des mots, le plus sûr moyen d'agacer son père. Respectueux de la hiérarchie, Charles Forestier apprécie peu qu'on lui rappelle devant un domestique qu'il n'est pas le maître tout-puissant. Question de tact.

Théa sourit de cette perfidie délibérée et attend une riposte qui arrive vite.

— Je t'en prie, Marie !...

Le ton est si venimeux que Benoît en reste la fourchette en l'air, l'œil rivé à son père.

— ... Quand bien même cela serait, *je crois de mon devoir* de m'en expliquer.

L'expression favorite de leur père provoque entre Théa et Benoît un coup d'œil fugitif et terrible. Benoît en perd sa fourchette que son père ramasse sans un reproche, tout à sa démonstration. Sa voix s'est faite convaincante, onctueuse.

— Mon cher, vous et vos amis, vous vous réunissez souvent, je crois le savoir, le samedi et le dimanche. C'est votre droit le plus strict. Vos chants, vos danses, bref votre culture vous y incitent. Et, c'est très bien ainsi, le gouverneur et moi-même nous en sommes

convenus. Malheureusement, ces réunions se terminent souvent en bagarres... Rappelez-vous, il y a eu un mort, le mois dernier, à la mission de Kévéla. Nous avons donc cru de notre devoir, le gouverneur et moi-même, de supprimer l'alcool, momentanément.

Bambo a suivi, fasciné, le mouvement des mains de l'orateur qui s'ouvrent et se ferment, les inflexions de la voix qui ne guette aucune approbation, qui explique et maintenant congédie. Il ne sait plus que faire, Bambo, alors il fanfaronne une maladroite vengeance :

— C'est parce que le ministre de la France d'Outre-Mer arrive ? Après, on reprend comme avant, hein ?

Marie fait un drôle de bruit qui ressemble à un gémissement. Charles l'enveloppe, elle et ses enfants, d'un regard méprisant.

— Je vois que la nouvelle de cette arrivée s'est propagée avant d'être officielle. Il me faudra donc surveiller mes paroles. Même à cette table. Chez moi. Soit.

Bambo n'espère plus de réponse. Il ne sait pas s'il doit saluer, avant de disparaître. Plus personne ne fait attention à lui. Rosalie le sort de ce mauvais pas, en le poussant rudement vers l'office.

— C'est pas ta place. Fiche le camp !

La violence de la femme qu'il aime, qu'il ne peut arracher au sortilège de cette famille de colons, lui redonne des forces et il crie en sortant :

— Le vin, on s'en fout ! Dans dix ans, c'est le sang des Blancs qu'on boira.

Le bruit de la porte que Rosalie referme sur lui a peut-être couvert sa voix. Elle voudrait bien en être sûre.

— Qu'a-t-il dit, Rosalie ? Charles Forestier l'interroge avec une candeur où perce trop bien la menace. Rosalie n'est pas dupe et la crainte l'envahit.

Marie baisse les yeux. Elle ne veut pas partager, ne serait-ce que du regard, avec ses enfants, la perception qu'ils ont du sadisme passager de leur père. Il a très bien compris chaque mot de cette prédiction. Qu'attend-il de Rosalie qui se lamente, inquiète, torturée ?

— Il ne faut pas lui en vouloir, monsieur, c'est un brave gar-

çon ; il ne pensait pas ce qu'il disait. Tout le monde est un peu nerveux chez nous. Tout ce remue-ménage de mots, colonie, pas colonie, et toujours pas plus de travail.

Charles Forestier hausse les épaules. Alors, elle ajoute, brusquement agressive :

— Et voilà que les bagnards travaillent dans le jardin du gouverneur, jusque sous nos fenêtres !

— Enfin ! pensent tous les convives.

— Je vois, dit Charles Forestier.

Il savoure quelques secondes de réflexion. Il avait prévu dans un rapport adressé au gouverneur l'hostilité que cette mesure soulèverait. Ce dernier est passé outre, une fois de plus. La voix têtue de Rosalie rompt le silence.

— Ils prennent le travail des autres. Ils volent. Ils font peur.

« Exact », pense Charles Forestier : compression de budget et, de surcroît, un bataillon gratuit d'indicateurs, pour assainir la place avant l'arrivée du ministre. Il s'est insurgé, en vain, contre ce genre de méthodes. La solidarité politique et l'orgueil le lui feront taire.

— Si vos amis ne sont pas contents, Rosalie, vous leur direz que le bagne — il reprend, à dessein, le mot qui fait peur — est loin d'être plein.

Rosalie n'ajoute plus rien. L'émotion lui ouvre la bouche, raidit sa nuque et elle sort très vite, en oubliant de desservir.

Charles s'en aperçoit, feint de s'en étonner et appuie longuement sur la sonnette de table. En vain. Rosalie ne revient pas. Marie pense tristement qu'elle a dû aller pleurer au fond du jardin derrière l'hévéa, l'arbre à caoutchouc, comme s'entête à le nommer Benoît. C'est là qu'il aime jouer, front contre l'écorce, un-deux-trois, puis regard retourné, brusque pour que s'immobilise, ou fonde sur lui vaincu, le corps de statue de sa mère.

Autour de la table, chacun est silencieux. Sauf Charles qui fait avec ses couverts des bruits brefs, qu'aucune voix ne couvre. Il promène, sur chacun des siens, un regard surpris.

— Je vous ai coupé l'appétit ? Vous ne dites rien ?

Théa et sa mère, sans s'en rendre compte, se sont réfugiées dans le même geste : elles tracent du bout de leur fourchette, sur la nappe,

de courtes lignes parallèles. Geste arrêté, geste suspendu, quand Benoît parle d'une voix que ses dents serrées ne détimbre pas.

— Papa, du vin, s'il te plaît..., je crois de mon devoir de te le demander.

L'expression choisie, le rythme, les sons, la scansion des mots, disent à leur façon, courageusement, son hostilité, sa désapprobation.

Théa s'étrangle d'un rire bref qu'elle camoufle en toux.

Benoît reste, le bras tendu vers son père qui le fixe, stupéfait. Charles Forestier a l'air perdu tout à coup, souffleté, misérable. Il chasse la main de Marie qui s'est posée sur la sienne. Il n'en finit pas de replier sa serviette. Il pousse sa chaise qui résiste, il se lève, il dit d'une voix polie :

— Si vous n'y voyez pas d'inconvénient, je vais finir cette délicieuse soirée au salon.

Ils suivent des yeux son dos, sa nuque, sa silhouette qui disparaît. La porte se referme derrière lui.

Benoît repose son verre sur la table. Il a l'air très content de lui. Trop. Il ne s'attend pas au geste de Marie. Elle remplit son verre à ras bord. Elle tremble un peu. La nappe, autour, devient rouge du vin versé.

— Bois maintenant.

Il reste indécis. Il comprend qu'elle ne plaisante pas quand elle reprend, faussement calme :

— Bois, jusqu'à la dernière goutte.

Il s'exécute lentement. Il n'aime pas ça. Il ne boit jamais de vin. Elle le sait bien, pourtant.

— Encore, sourit-elle.

Elle le ressert d'un geste mieux contrôlé. Il boit à nouveau le verre tout entier. Il lui faut, pour cet affrontement sournois, lever, haut, le coude.

Théa est fascinée par l'œil narquois de son frère, dans la transparence du cristal. Dans la pièce à côté, leur père s'est mis au piano. Il exécute brillamment un air de jazz rapide, enlevé. Marie l'écoute avec attention et ressert son fils pour la troisième fois. Benoît reprend son souffle, il demande, la voix pâteuse :

— Pourquoi ? Tu crois de ton devoir de le protég...

Il ne peut aller plus loin car Marie, hors d'elle, lui hurle :

— Bois !

Il s'exécute. Mais bientôt la nausée prévisible le rattrape et il quitte la table, la main sur la bouche, dans un hoquet humiliant. Marie s'effondre, la tête dans les mains.

Théa, qui n'a soufflé mot, ne sait que faire. Elle approche des cheveux de sa mère une main consolante. Marie relève vers elle un visage imprévisible, presque gai. Elle dit :

— Charles devait m'emmener au cinéma en plein air. Tu l'entends ? Il ne voudra plus, à cause de cette gale d'enfant.

Elle accompagne le piano, de ses doigts courts et fins sur la nappe blanche. Théa n'arrive pas à y croire ; sa mère soupire et savoure ces quelques mots :

— Il va falloir le reconquérir.

Théa la fixe, la scrute avec intensité. Mais quelque chose se passe alors qu'elle connaît bien. Il lui semble que des cheveux blonds de sa mère, de ses yeux d'azur, monte un léger brouillard qui l'enveloppe, et la protège. Le regard de Théa, persévérant comme les vagues, rejeté comme les vagues par une force immobile, se heurte à ce masque de clarté qui l'attire et la laisse insatisfaite, sans savoir, sans connaissance. C'est une douleur et une délivrance pour elle, quand le masque bouge. Nettement, vers la droite. Théa retrouve son souffle et le profil de Marie, peu à peu, des contours distincts.

— Tu entends, Théa ?

Oui, Théa peut entendre maintenant le sifflement modulé qui l'appelle là-bas, dans la nuit. Elle le reconnaît. Elle renverse sa chaise en se levant. Elle est déjà loin quand Marie lui crie :

— Tu pourrais dire à Isabelle de sonner comme tout le monde. Tu n'es pas un chien !

Un chien ! Qu'elle est gourde parfois, pense Théa qui court vers la grille du jardin, le cœur battant à tout rompre.

Cette fascination passagère que sa mère exerce sur elle provoque, chez Théa, une impression de danger qu'elle arrive mal à analyser mais qui la fait se précipiter encore plus étroitement dans la violence de ses liens avec Isabelle.

Elle court dans le jardin nocturne et sent tout son corps vivant

qui expulse, peu à peu, comme une insidieuse tétanie. Ses pieds légers dansent leur course, sur des mots qui chantent :

— Isa, Isabelle ma douce ma jolie mon salut mon oiseau calme ma petite fée blonde traverser les rivières ennemies ensemble ta main dans la mienne toujours ma fidèle...

Les lacets dénoués de ses espadrilles volent au-dessus des graviers, rebondissent, cinglant ses chevilles qu'ils enserrent parfois, pour s'élancer à nouveau. Mais les voilà tout à coup, immobiles, retombés.

Ce n'est pas Isabelle qui attend à la grille du jardin. C'est Jean-Baptiste. Il tient par le guidon la bicyclette de Théa.

— Je vous l'ai rapportée. Je l'ai réparée comme vous me l'aviez demandé. Bonsoir Théa.

Son ombre haute se rapproche du portail grillagé qu'elle ne se décide pas à ouvrir. Il passe, à travers les arabesques de fer, sa longue main blanche. L'essouflement de Théa cache mal sa déconvenue.

— Merci... ça pouvait attendre à demain.

Et comme la caresse de Jean-Baptiste sur sa joue, son cou la chatouille un peu, elle esquisse un vague geste de recul.

Il la rattrape violemment et la maintient, une main derrière sa nuque, tout contre la grille, tout contre lui qui s'est rapproché. Il embrasse son visage et ses lèvres murmurent qu'il voudrait la voir plus souvent.

— Vous voir seule.

Elle ne cherche pas à lui échapper, mais il sent, dans sa main, les muscles de sa nuque se tendre, durcir. Elle l'affronte, les yeux immenses. « C'est une toute petite fille », pense-t-il rapidement. Elle ne dit toujours rien. Elle se méfie. Elle sait que si elle desserrait les lèvres, il lui embrasserait les dents. Maintenant, il promène toute la peau de son visage sur les lèvres closes de Théa. Il presse, l'une après l'autre, ses paupières, sous un baiser qu'elle ne donne pas.

Il respire fort, il la lâche, il ouvre les yeux et la voit, éclairée par la lune, calme. Elle se masse la nuque. Il a dû lui faire mal. Il s'en veut. Elle lui parle gentiment.

— C'est inutile, Jean-Baptiste, vous le savez bien. Ou on

continue comme ça, comme des amis, ou bien je ne vous verrai plus.

Il se met à secouer la grille de toutes ses forces, en colère. La voix d'Isabelle, dans son dos, l'arrête. Il ne l'a pas entendue arriver. Il aurait dû se douter qu'elle surgirait, déhanchée, provocante, persifleuse.

— Vous entrez ou vous sortez, Jean-Baptiste ?

Cette cruauté de le supposer libre de choisir le frappe de plein fouet. Il n'a pas le temps de réagir. Théa ouvre la grille, Isabelle s'empare du vélo et lui referme le portail au nez. Elles s'éloignent en chuchotant leur bonheur d'être ensemble.

— Mes parents ne sortent pas, finalement.

— Tant pis, on ne fera pas de bruit.

Jean-Baptiste les suit des yeux, les mains accrochées à la grille. Ses mâchoires sont soudées. Aucun son ne sort.

Il fixe la haute maison pâle sous la lune. Le piano s'arrête et une lumière s'éteint sous la véranda. Repris par la rage, il secoue, à nouveau, furieusement la grille jusqu'à ce qu'il aperçoive, au premier étage, cadrée par la porte-fenêtre d'une chambre sombre, une silhouette de femme. Il voit mal, c'est une tache claire, immobile, oui, une femme, il lui semble qu'elle est nue.

Il suspend tout à fait son geste et les grillons assourdissent la nuit. Ses yeux distinguent mieux maintenant la nudité de la femme, le geste qu'elle fait pour ramener ses cheveux sur une épaule, la tête toujours tournée de son côté.

« C'est Marie Forestier, pense Jean-Baptiste. Qu'elle est belle... Pourquoi reste-t-elle là à me regarder ?... » Il n'ose plus bouger. Elle le fixe toujours, il en est sûr maintenant qu'il distingue mieux ses seins blancs, l'ombre triangulaire de son ventre.

Il se rend compte que les jointures de ses mains, obstinées sur la grille, lui font mal. Il sent avec désespoir une vague chaude lui envahir les reins, le sang battre lourdement dans son sexe.

Il s'enfuit, en priant de toutes ses forces que l'oubli envahisse le cadre de cette fenêtre.

*

En haut des marches du grand escalier qu'elles escaladent ensemble, Théa fait volte-face, et dans un chuchotis d'écolière à sa fidèle amie :

— Je reviens, je ne lui ai même pas dit merci, c'est méchant.

— Mais si !

L'indignation convaincue d'Isabelle ne peut la retenir. Théa dévale les escaliers sans plus se soucier d'elle, portée par une certitude sans objet. Elle se heurte à son père, s'arrête, s'excuse, l'embrasse et lui murmure avec une insondable coquetterie :

— C'était beau, Count Basie ! Magnifique ! Vraiment, il n'y a que toi pour l'interpréter aussi bien !

Charles Forestier en reste, un instant, suffoqué : cet accès de gentillesse imprévu, doublé d'une aussi colossale erreur...

— C'était Duke Ellington, articule-t-il, navré, mais elle est déjà loin.

Il ne peut s'empêcher de rire. « Décidément, elle n'a aucune oreille, comme sa mère... » Et il se remet en marche, porté par l'image de Marie qui doit l'attendre dans leur chambre, qui va l'aimer, qui saura lui faire oublier la brutalité de son fils. Marie sait toujours trouver les mots quand il est fâché, furieux. Elle sait faire une fête de tous les gestes d'humilité. Il sourit, il ne sait pas se dire qu'il l'aime comme un fou. Il n'a pas le temps. Il ouvre la porte de leur chambre et il faut qu'il se masque, pour ce jeu d'amour, de dignité bafouée.

*

Au bout du jardin, après la grille, Théa a parcouru quelques mètres d'un sentier escarpé, aux herbes hautes. Elle crie en vain le nom de Jean-Baptiste. C'est peut-être lui, cette silhouette qui passe devant le Palais du Gouverneur, tout en bas. Il est trop loin pour l'entendre. Tant pis.

Sur le chemin du retour, elle se rend compte que le phare du sémaphore s'est mis en route. Il balaie de son rayon régulier la colline noire et le visage captif de Théa. Elle entend une lointaine sirène. Il doit y avoir du brouillard en mer ou un bateau en vue, c'est ce

qu'a dit le gardien. Elle chasse de sa curiosité une légère inquiétude et reprend sa course vers sa chambre où l'attendent Isabelle et leurs jeux, leurs projets, leurs serments mensongers d'enfants sages.

Elle monte à nouveau les marches quatre à quatre. Quand elle passe devant la porte entrebâillée de ses parents, elle entend la voix de sa mère qui l'appelle :

— Viens voir, chérie, toutes ces étoiles !

Elle ralentit. A nouveau, la voix chaude, impatiente, gaie, la hèle :

— Qu'est-ce que tu attends pour me rejoindre ? Viens vite voir, c'est le plus beau clair de lune que j'aie vu.

Théa pousse la porte. Le chambre est dans la pénombre. Sa mère est nue contre le chambranle de la porte-fenêtre, de dos, face à la nuit. Un de ses bras relevé soutient la masse de ses cheveux et fait plus ronde encore sa croupe blanche. Elle tend son autre bras vers l'arrière, sans se retourner :

— Viens, viens vite, je veux sentir tes mains sur moi.

Théa avance doucement, comme dans un rêve. Marie s'empare de sa main tendue de somnambule et la plaque contre ses hanches fraîches. A ce contact, elle se retourne brusquement.

La porte de la salle de bains explose aux oreilles de Théa. Son père en sort, tout mouillé, une serviette autour des reins. Il rit, il dit :

— J'arrive. A nous deux.

Et ils restent là, tous les trois, face à leur méprise. Ils se détournent vers la nuit qu'ils fixent à n'en plus finir. Charles dit doucement, avec une sorte de timidité :

— Oui, c'est vrai, c'est très, très beau.

— N'est-ce pas ? renchérit Marie pour l'aider et ils ne disent plus rien.

Théa recule lentement, sans les regarder, et murmure :

— Bonne nuit, à demain.

Ils reprennent en chœur :

— A demain, chérie !

Quand elle est de l'autre côté de la porte, elle entend, avec les battements de son cœur, les pieds nus de Marie courir sur

le sol, la clé que l'on tourne dans la serrure et des bruits de voix :

— Complètement dans la lune ! Elle a cru que je l'appelais.

Et des rires étouffés.

Théa ne sait pas pourquoi mais elle voudrait bien que Isabelle s'en aille maintenant.

7

Des lignes claires, horizontales, douze, se répètent de part et d'autre du chambranle de la fenêtre.

Il y a une heure déjà, Théa s'est levée, à tâtons, pour tirer sur le côté les rideaux légers. Mais c'était nuit noire, trop tôt, elle le savait bien. Elle gît depuis, sur son lit, yeux grands ouverts, à l'affût de ces douze lignes pâles qui annoncent le matin.

Elle entend, à l'autre bout de la chambre, la respiration régulière de Benoît. Elle distingue maintenant, derrière la moustiquaire, la masse enfantine de son corps et, sur sa table de nuit, les escarpins à talons de Marie.

Elle pense au long ruban de sable, à la plage qui reste déserte... Elle entend bientôt, elle repousse la moustiquaire, elle se relève sur un coude pour mieux y croire, les bruits légers, familiers qu'elle guettait, en vain, ces derniers jours. Elle s'approche sans bruit de la fenêtre et aperçoit, entre les jalousies, la silhouette furtive de sa mère. En tenue de cheval, bottes à la main, cheveux dénoués, Marie traverse sans bruit le jardin et se dirige vers la quatre-chevaux qu'elle a pris soin de garer, hier, juste au sommet du chemin.

La porte refermée ne claque pas et bientôt la voiture, en roue libre, s'ébranle doucement et disparaît dans le premier tournant de la colline.

Théa peut enfin se recoucher et fermer les yeux. Elle a devant elle une heure de bonheur dangereux, une heure bénie entre toutes.

Sa respiration s'apaise, elle se retourne sur le ventre. Elle se laisse emporter par une rêverie, qu'elle oriente à sa guise, qu'elle maîtrise, croit-elle.

Ses lèvres bougent un peu. Elle s'exhorte, se harcèle de mots magiques... mer... plage... cheval... azur...

Mais ses pensées l'entraînent malgré elle, de jour en jour, dans un rêve qui ne dit plus son nom, qui hésite, aux bords tourmentés du cauchemar.

Elle dérive lentement, longuement, mains tendues, refermées sur du vide.

*

Les douze rayons de lumière que le soleil matinal étire et déplace à travers la chambre ont rampé vers le lit de Théa. Ils font briller ses cheveux, hachurent ses bras et son dos mince que soulèvent des sanglots convulsifs.

Benoît s'approche d'elle, les yeux gonflés de sommeil. Il tend sur l'oreiller de sa sœur endormie son bras qui devient, à son tour, partie d'un zèbre ou d'un bagnard.

Il se penche sur elle et entend qu'elle supplie, qu'elle implore :

— ... ma bicyclette, ma bicyclette, où est ma bicyclette ?...

Il la secoue, avec douceur, pour la réveiller. Il ne peut rien d'autre pour elle : sa bicyclette est enterrée quelque part dans le sable, aussi profond que son rêve. Comment le saurait-il ?

Elle-même, entre ses cils entrouverts, ne se rappelle plus rien, soupire et lui ouvre le drap.

Il se glisse dans son lit, près d'elle, elle murmure de façon presque inaudible : « Tiens, tiens, mon envahisseur », et ils se rendorment l'un contre l'autre.

Pas longtemps. La lumière les aveugle, derrière leurs paupières closes, quand Rosalie vient ouvrir les fenêtres.

— Le petit déjeuner est servi. Vos parents vous attendent sur la véranda.

— Maman est là ?

C'est Benoît qui interroge et Théa sent son cœur s'arrêter.
— Bien sûr, dit Rosalie, sans se retourner, elle est toujours la première debout.

8

La récréation est terminée depuis longtemps au Collège Bougainville. Les garçons et les filles se sont éloignés vers leurs classes respectives. Théa et ses camarades sont en cours de français avec Mlle Fraisse.

Dans la cour désertée, silencieuse, un Canaque, vêtu à l'européenne, pantalon kaki aux plis impeccables, chemise à manches courtes, balaie les fleurs tombées des flamboyants. Après un bref regard vers la fenêtre du proviseur, il se baisse, prompt, ramasse une fleur et la pique derrière son oreille, dans ses cheveux crépus. L'ombre des arbres ralentit sa marche que le soleil précipite.

Théa le suit de ses yeux ensommeillés, le perd bientôt et son regard glisse sur les murs de la classe, recouverts de cartes de France.

Au tableau noir, une main d'élève s'applique de son écriture sage. Le mot « dissertation » est souligné et puis la main trace des lettres qui disent : « L'ordre, c'est la force présente des choses absentes. Valéry. Paul. Commentez. »

Théa réprime un bâillement. Elle pose son menton sur ses bras repliés, le dossier de sa chaise retournée lui fait appui. Elle est à califourchon devant son pupitre, dans sa position favorite et se berce, d'un léger mouvement de reins.

Le professeur rend les devoirs dont le sujet s'étale au tableau et elle ne doute pas d'avoir la meilleure note. La voix de Mlle Fraisse la fait sursauter :

— Tenez-vous bien, Théa Forestier, vous n'êtes pas à cheval !

Elle arrête le balancement de sa chaise et la remet à l'endroit.

Elle feint la révolte et les rires complaisants des lycéennes ponctuent cette scène, rituelle, qui l'oppose aux professeurs. Chacune sait que Théa triomphe presque toujours de l'épreuve de dissertation, que Mlle Fraisse a un faible pour elle et lui pardonne toutes ses pitreries.

Le cœur de Théa bat quand même, un peu trop vite, à son gré. Elle a mis beaucoup de gravité dans les pages serrées que le prof ne lui rend toujours pas. Les notes décroissent régulièrement. Près d'elle, Isabelle lit ses corrections. Un peu partout, les lycéennes ont le front penché sur leur copie.

Il n'y a bientôt plus qu'une seule tache claire sur le bureau du professeur qui fixe Théa avec une sorte de solennité. Cils baissés, un espoir fou au cœur, Théa attend le dix-huit sur vingt qui va la singulariser de ses camarades, la détacher du peloton.

Mais le silence se prolonge et elle devine brusquement, dans le regard posé sur elle, que quelque chose ne va pas.

Mlle Fraisse lui apporte sa copie sans un mot et retourne à son bureau, sur son estrade de bois. Théa tourne les pages confusément et ne voit rien. Rien.

La voix dure, légèrement méprisante, du professeur s'élève pour souligner sa déception :

— Vous avez bien vu. Je ne vous ai même pas notée.

Dans la classe, les murmures s'éteignent. Même les rêveuses sont alertées par le silence et relèvent la tête : chacune connaît l'enjeu. La dernière dissertation devait valoir à Théa le prix de français dont dépend le prix d'excellence, triomphe convoité de plusieurs rivales. Tout s'écroule autour de Théa. Le regard scrutateur de Marianne la brûle dans son dos. Elle retire la main consolante d'Isabelle qui sait tout ; ses efforts, son exaltation, les heures passées ensemble au Château d'Eau, à discuter des mille et une implications du sujet.

La voix du professeur martèle maintenant de l'horreur à l'état pur :

— Vous vous relâchez depuis un certain temps. Ce dernier texte est lamentable, incohérent, prétentieux. Vous n'avez cessé de tourner autour du sujet sans jamais l'aborder de front. Ces enfantilla-

ges, ces atermoiements ne servent à rien… Je vous ai surévaluée. J'ai pris pour de la finesse vos circonlocutions intellectuelles, qui ressemblent fort à de la couardise.

Théa a l'air d'une folle, d'une illuminée : elle écarquille les yeux pour lutter contre une rage liquide.

Elle déchire sa copie, ce qui redouble les sarcasmes du professeur. Une élève, à la droite d'Isabelle, fait « aïe » et se masse le coude. Théa n'a pas le temps de se demander de quelle méchanceté Isabelle vient de la venger.

Mlle Fraisse continue sa péroraison et conseille à chacune d'être simple :

— Simple, claire et directe !

Et puis Théa, dents serrées, yeux pleins de haine, doit subir l'estocade finale :

— Vous n'écoutez pas, Théa Forestier. Répétez ces mots : « simple et directe »… Comprenez-vous au moins leur sens ?

9

— Oui.

Cela fait plusieurs fois que Théa le répète, mais Jean-Baptiste semble ne pas l'entendre.

— Quoi ? dit-il, en s'arrêtant brusquement.

— Oui, souffle-t-elle à nouveau.

Il se remet en marche. Trois longues enjambées l'entraînent près de la fenêtre, loin de Théa qu'il emprisonne encore dans un reflet de la vitre. Elle est assise sagement sur son lit d'étudiant. Elle lisse, d'un revers de main machinal, le long de ses cuisses, vers ses genoux serrés, les rares ondulations de sa jupe claire. Quelque chose arrête son geste monotone. Il la voit se pencher en avant. Elle s'emploie, d'un ongle expert, à faire sauter la croûte légère d'une cicatrice qui orne son genou droit. Il déteste tout à coup son insouciance et la brusque d'une voix d'inquisiteur :

— Qu'est-ce qui vous a fait changer d'avis ?

Elle hausse les épaules et, sans attendre, il dit que c'est impossible. Elle ne le regarde pas. Elle semble plus intéressée par la petite tache pâle que fait la peau neuve, sous la cicatrice.

Il répète :

— Impossible, impossible...

Elle soupire calmement :

— Si vous n'en avez plus envie, Jean-Baptiste, personne ne vous y oblige.

Elle se lève, prend son cartable et fait mine de s'en aller. Il se

poste vite entre la porte et elle. Il ne la quitte pas de ses yeux sévères, méfiants. Ils se font face et ne bougent plus pendant longtemps.

— Alors, supplie-t-il, c'est que vous m'aimez?

— C'est évident.

C'est à peine s'il a terminé la question qu'elle y répond déjà.

Il ne se décide pas à la prendre dans ses bras. Il se sent encore incertain, secoué par ce brusque changement d'attitude.

— Pas de subterfuge, dites-le, insiste-t-il, pour gagner du temps.

— Je vous aime et je veux faire l'amour avec vous.

Il sent comme une douleur à la hauteur de son ventre. Il aurait voulu entendre seulement ce « je t'aime », tant attendu, et la forcer à en tirer les conséquences. La voir devant lui, offerte, le stupéfie au point qu'il s'entend dire, maladroitement :

— Vous êtes sûre... ?

— La conversation risque de devenir assez ennuyeuse.

Elle l'a dit gentiment mais Jean-Baptiste s'en est déjà emparé, comme d'une résistance qui le renvoie, enfin, en terrain connu.

— Vous me trouvez ennuyeux, n'est-ce pas ?

Elle dit fermement que non.

— Vous êtes le garçon le plus séduisant que j'aie rencontré.

La réponse, là encore, est venue trop vite, trop précise, une bulle d'air crevant la surface de l'eau.

— Vraiment ? s'inquiète-t-il, nous nous connaissons depuis peu, après tout.

— Deux ans. Je ne suis pas seule à vous trouver sympathique. Mes amies le pensent aussi et beaucoup de gens vous estiment.

Il chasse de son front une mèche lourde et s'irrite de l'aide que Théa croit devoir chercher aileurs, pour lui prouver sa bonne foi. Il veut revenir à elle, à elle seule, aujourd'hui, pour la première fois dans sa chambre, si proche de ce lit où il voudrait l'étendre. Mais il se sent gourd, rattrapé par un cauchemar familier où chaque geste de son corps ne brasse qu'un ciel de plomb immobile que traverse sa chute.

— Je veux faire l'amour avec vous.

Elle s'est rapprochée de lui. L'air rond qui s'échappe de ses lèvres d'enfant sage le frappe à la base du cou, remonte, glisse sur sa joue,

sa tempe. Aucune ironie, aucune réticence dans ses longs yeux graves levés vers lui. Elle s'est posée là, en attente de son bon vouloir et il cherche désespérement à faire naître dans ses yeux, sur la veine bleutée de son front, un signe d'émoi.

Il croit avoir trouvé.

— Que vont dire vos parents ?

— Ils vous adorent. Ils seraient surpris d'apprendre que vous n'êtes pas encore mon amant.

Là, Théa prend quelques risques mais la réponse intrigue à peine Jean-Baptiste. Il est pris au piège, loin, très loin de toute logique.

— Vous m'aimez...

Ce n'est plus une interrogation. Il esquisse vers son visage un geste qu'elle accompagne délicieusement de sa voix trop appliquée à lui plaire.

— Oui. Je vous aime.

Il chancelle. Il se rengorge. Il en veut plus :

— Comment le savez-vous ?

Et il ose, de ses doigts, dessiner, hauts, les sourcils arqués de Théa.

— Je veux bien faire l'amour avec vous.

Elle gâche tout. Il crie si fort qu'elle l'a déjà dit, que, pour la première fois, il pourrait détecter sur ses lèvres l'ombre d'un sourire. Mais il s'est éloigné à nouveau et redouble de colère, à croiser dans un miroir son visage qu'il juge halluciné, ridicule.

Il se retourne vite. Vers la porte. Mais non, elle n'a pas tenté un geste pour lui échapper.

Elle reste là à le regarder, le cartable posé sur l'angle, à peine arrondi, de sa hanche gauche. Son autre bras pend, abandonné, le long de son corps svelte. Il sait, dans le dos de sa robe, sous l'empiècement à smocks, le ruban qu'il faut dénouer pour libérer la taille, les pressions qui cèderont sous ses doigts...

Il prend peur de ces gestes faciles. Il veut maîtriser, contenir au moins, le déferlement des chocs dans sa poitrine, gagner du temps.

Il lui vient alors aux lèvres une phrase assez laide qu'il se reproche aussitôt. Il dit qu'il n'a qu'une bourse pour finir ses études.

— Et vous, vous êtes si épouvantablement riche !

Elle fronce un peu le nez, il fait un pas nerveux vers elle pour lui dire qu'il regrette, qu'il a honte, mais elle semble ailleurs tout à coup. Théa note qu'il marche souvent en biais — comme un crabe pense-t-elle. Et puis, elle s'affole : non, non, je ne pense rien, rien du tout ! Je suis là, c'est tout.

Lui égrène des noms, un peu au hasard, il sent qu'il a les larmes aux yeux. Il ferait n'importe quoi pour effacer cette histoire d'argent, pour n'avoir pas soulevé cet argument lamentable.

— Julien, Thierry et Franck, ils vous font tous la cour !

Comme il s'arrête, elle redit mécaniquement ce « oui », simple et direct, ces trois lettres avec lesquelles elle aurait voulu écrabouiller le visage de Mlle Fraisse, lui rentrer dans la gorge l'humiliation qu'elle a subie.

Mais la réalité présente avance vite au pas de Jean-Baptiste. Il faut faire attention. Il rit et elle ne sait plus pourquoi.

— Franck aussi ! Ça alors, je lui casserai la gueule, ajoute-t-il, déconcertant de gaieté.

— Inutile, je m'en charge.

Jean-Baptiste s'émeut brusquement de retrouver, dans la voix cassante de Théa, son mépris des histoires de flirt.

Sur un mur du lycée, un jour, un cœur apparut, enlaçant deux noms, dont celui de Théa. Elle en avait conçu une telle fureur que le fautif retrouvé, l'amoureux éconduit avait pris, devant tout le monde, une gifle retentissante, ponctuant un chapelet d'injures, extrêmement grossières. L'anecdote circulait encore, agrémentée de détails piquants qui faisaient rire les nouveaux. Jean-Baptiste s'était d'abord moqué de cette petite fille rétive. Mais il lui avait voué, au fond de lui-même, une admiration perplexe qui s'était transformée, à son insu, en un sentiment beaucoup plus fort. Il avait bien dû s'avouer un jour qu'il était détaché de tout, obsédé d'elle, raide dingue, fou d'amour.

Et il venait de retrouver, dans la voix de Théa, cette qualité farouche qui le faisait brûler et l'élançait maintenant vers elle, de tout son corps, trop longtemps contraint. Mais voilà qu'à nouveau, elle l'aidait trop complaisamment, ouvrait ses lèvres, tendait une langue plate de communiante, ne se dégageait que pour poser son cartable et mieux l'enserrer de ses deux bras dociles.

Elle dit même qu'elle l'aime depuis toujours.

— Pourtant vous ne me regardiez jamais !

Elle le dévisage d'un regard sévère.

— Si. Je vous connais par cœur.

Et parce que la concentration lui fait fermer les paupières, le met à l'abri de son regard, il se sent envahi d'une chaleur immense.

— Tenez, précise-t-elle, yeux clos sous ses baisers, votre lèvre supérieure est trop courte.

— Quelle horreur !

Il s'est reculé et cache, d'instinct, du revers de sa main, la lèvre dénigrée.

Le regard de Théa s'empare à nouveau de lui. Elle a l'air de voir au travers de sa paume en conque qui le masque et fait plus fous encore, plus intenses, ses yeux sombres.

La voix de Théa est si lente tout à coup, si tendre, comme apaisée :

— Erreur, c'est un charme de plus.

Et puis, comme il baisse sa main, rassuré, elle ajoute, caressante :

— Comme Benoît, comme mon frère.

Jean-Baptiste se sent à nouveau entouré d'ennemis, de rivaux. Il ordonne plus qu'il n'interroge. Il se bat.

— Vous m'aimez plus que votre frère ?

— Oui.

— Plus que votre mère ?

— Oui.

— Plus que votre meilleure amie, cette idiote d'Isabelle ?

— Vous la trouvez idiote ? Je la verrai moins.

Cet enchaînement de réponses laconiques n'inquiète plus Jean-Baptiste qui jubile maintenant, comme du parcours risqué d'une balle qui effleurerait, coup après coup, sans faillir, le filet tendu d'un court de tennis. Il se rappelle son dernier match, gagné à ce prix. Il exulte.

— Vous m'aimez plus que tout ?

Mais voilà qu'elle secoue la tête négativement.

— J'en étais sûr, parlez ! articule-t-il, frappé en plein élan.

Elle soupire qu'elle ne sait pas, que quelque chose l'en empêche.

Elle a l'air triste, mal à l'aise, mais c'est de ne rien cacher, dit-elle.

Alors il rit, il se secoue, il s'engouffre dans un trouble qu'il croit contrôler.

— Cessez de rire, Théa chérie (pourtant elle ne rit pas), laissez-moi dégrafer votre robe.

Elle lève un peu les bras, et sa robe tombe vite, prévue, autour de ses ballerines. Il lui enlève son slip blanc, elle le regarde descendre, elle enjambe le dessin rond qu'il fait avec sa robe sur le sol. Elle tourne la tête vers le lit.

Jean-Baptiste a peur tout à coup qu'elle l'y précède. Il l'enlève dans ses bras, la porte, l'allonge sur le drap bien tiré, se couche sur elle. Il ne quitte pas des yeux son visage aux trompeuses surfaces lisses. Elle dit qu'elle regrette. Il se méprend.

— Je ne sens pas votre peau, explique-t-elle.

Il enlève, vite, son pantalon, sa chemise. Elle l'aide, elle a l'air contente, étonnée presque quand il la serre à nouveau contre lui.

Il l'enlace, la presse, pèse sur elle, l'étouffe un peu sans qu'aucune protestation, aucun semblant de crainte vienne freiner ses élans. Quand elle parle, c'est, d'une voix claire, de la surprise que lui fait sa peau contre la sienne.

— Une bonne surprise, dit-elle platement.

Elle rend chaque caresse, chaque baiser, ploie son corps aux étreintes de plus en plus rudes de Jean-Baptiste. Ses cils tremblent et elle le maintient fort contre elle. C'est lui, bientôt, qui dénoue ses bras, la repousse, l'éloigne, contemple son ventre creux, bronzé, la saillie légère de ses os, ceux des hanches et, là, entre les plis de l'aine, l'avancée soyeuse que ses mains fines s'apprêtent à caresser. Il n'a pas vu l'éclair rapide qu'elle emprisonne, à nouveau, sous ses cils, pas senti sa respiration bondir. Il n'entend que sa voix douce qui chante presque, qui l'effare de bonheur, qui suspend sa main d'explorateur.

— Jean-Baptiste chéri ?

— Oui, oui, mon amour.

— Votre sexe est bien censé devenir dur à un moment quelconque ?

Une lame froide, lente, indécise lui effleure les reins. Elle insiste :

— On dit bander, n'est-ce pas ?

Il regarde instinctivement, il semble vérifier, il se le reproche aussitôt, son sexe qui n'a rien de conquérant.

Il entend son cœur cogner dans sa poitrine, sourd, emballé. Il se dit, voilà, c'est ça, ce n'est pas grave, je l'aime trop et tout mon sang s'est réfugié dans mon cœur, je vais lui expliquer...

Mais à qui ?

A cette femme brune, assise maintenant sur son lit, jambes écartées, vulgaire, effrayante de curiosité ?

Il voudrait se cacher, se recouvrir des draps qu'elle retient. Le regard de Théa insiste, détaille. Il relâche le drap, il abandonne, il rit mal, grassement complice, furieux contre lui-même.

— Oui, on dit bander, et le plus tôt serait le mieux !

Il ne provoque aucun écho à son rire, mais une déduction implacable :

— Vous n'avez donc pas de désir pour moi.

Il veut à toute force y entendre un chagrin, un regret et non ce savoir indifférent, trivial. Il se ressaisit.

— Si, c'est l'émotion, cela arrive parfois, c'est...

Mais il lit tant d'indécence moqueuse dans son œil, qu'il s'arrête. Il n'en croit pas ses yeux : le pied menu de Théa s'est avancé vers son sexe ployé, l'effleure, le palpe, s'amuse à le faire sauter, le ridiculise.

Il hurle enfin, mais elle a déjà sauté du lit.

— Foutez-moi le camp !

Il se tord de rage, de douleur sur le lit. Elle suit du coin de l'œil l'étendue des dégâts, leur progression, tout en enfilant sa culotte.

Elle interrompt son geste et risque, pour le plaisir, un dernier test. Elle demande d'une voix prosaïque :

— Faut-il que je me lave ou pas ?

Il gémit davantage, le visage dans l'oreiller.

— Oh ! Dieu, foutez le camp, je vous en prie, foutez le camp !

Elle obtempère et se retourne, sur le seuil de la porte, le cartable posé sur la hanche, nette, lisse, l'œil plissé d'une gaieté qu'elle ne contient plus. Elle le contemple, pourtant, avec émotion, elle pense « qu'il est beau, qu'il est beau mon amoureux », et tressaille d'une frayeur joyeuse quand il gronde à nouveau :

— Foutez le camp !

Alors, sa poitrine se soulève, elle arrondit ses lèvres et expulse un dernier baiser, un « oui i i i... » long, vainqueur, qui l'entraîne, aérienne, hors de la chambre.

Simple et directe... Elle le savait bien, elle, que ça n'entraînait que des mensonges et des catastrophes.

10

Ça y est : la route est droite à présent et longe la Baie des Citrons.

Théa rit de bonheur en surveillant les contorsions d'Isabelle, sur son vélo, pour se débarrasser de sa robe. Son corps doré apparaît dans son maillot une pièce qu'elle a dû enfiler au Château d'Eau, en pestant contre le retard de Théa. Elles vont, comme à leur habitude, jeter leurs bicyclettes un peu plus loin, près des palétuviers et courir vers la mer, lutter pour être la première à l'eau.

Le maillot de Théa est dans son cartable. Elle ne l'a pas mis au vestiaire, tout entière tendue vers sa visite à Jean-Baptiste. Elle ne l'a pas mis non plus, nonchalante et prosaïque comme elle eût voulu l'être, devant le garçon vaincu, recroquevillé dans son lit, elle a oublié. Le cœur, quand même, lui battait trop, s'avoue-t-elle.

Mais maintenant, elle rit d'avance parce qu'elle a décidé de se plonger tout habillée dans les vagues — tiens, non, il n'y en a pas, la mer scintille, immobile sous le soleil de midi — et de devancer ainsi Isabelle qui ne s'y attend pas, qui se penche dangereusement sur son pédalier, pour ôter ses sandales légères. Elle a tort. Elles vont lui manquer tout à l'heure.

Elle poussera de petits cris stridents, en traversant le sable dur et brûlant qui borde la mer.

Un long klaxon assourdissant, doublé d'un bruit de casserole tintinnabulant, les oblige à se ranger le long de la route.

— Attention, c'est Mme Reiche !

Elles n'ont que le temps d'apercevoir, dans un nuage de pous-

sière, le visage noir et furieux du chauffeur agrippé à son volant et une vieille camionnette les double à grande allure, leur offrant un spectacle pathétique et désopilant. **ÉCOLE MILITAIRE — MADAME REICHE — DANSE RYTHMIQUE**, peut-on lire sur les flancs de la guimbarde.

Pour l'heure, Mme Reiche a de sérieux ennuis : la bâche qui recouvrait la plate-forme arrière s'est détachée, semble-t-il, et vole au gré du vent, souffletant la vieille dame, sévère, penchée, bras tendus, implorants, sur un lourd piano à queue ouvert, d'où s'échappent, malgré ses efforts, des partitions musicales.

Théa et Isabelle, hilares, les ramassent en zigzaguant, ralentissant ainsi quelques voitures dont elles rassurent les conductrices.

— Le cours de danse n'a pas pu commencer, Mme Reiche a semé ses partitions !

Elles poussent sur leur pédalier et sont accueillies par les remerciements émus de la vieille dame qui n'en finit pas d'enguirlander son chauffeur. Il a été réquisitionné et il fait exprès d'aller trop vite pour l'embêter, soutient-elle. Le chauffeur a garé la camionnette de façon à profiter de l'ombre du flamboyant et s'apprête à piquer un somme.

Sur la plage, quelques femmes, en tunique blanche, bavardent tout en faisant des mouvements d'assouplissement. La vieille veuve remonte à la hâte sur la plate-forme arrière et plaque quelques accords au piano. Les dames forment alors un cercle, tandis que les retardataires s'empressent de les rejoindre.

Théa aperçoit sa mère, de loin, et l'appelle de toutes ses forces, les mains en porte-voix ; Marie lui répond, en faisant pour elle la roue sur le sable. Mais elle s'interrompt vite pour suivre les ordres du piano.

Théa la suit des yeux et la compare fièrement aux autres. Isabelle, oubliée, en a profité pour s'échapper vers la mer. Théa entend dans son dos une voix qu'elle aime, une voix belle et grave qui la fait se retourner, joyeuse.

— Elle va bien ?

Théa est frappée de la fixité étrange sur le visage du docteur Royan qui l'interroge, sans quitter des yeux, là-bas, les silhouettes gracieuses qui continuent d'évoluer sur le sable.

Théa, pour l'embêter, fait semblant de ne pas comprendre et feint de ne plus se rappeler l'angine passagère de sa mère.

— Qui, dit-elle, Mme Reiche ?

Ils rient tous les deux parce que la vieille dame énergique s'égosille à scander :

— Et un, et deux, et trois, ne perdez pas le rythme, voyons !...

Théa, quant à elle, redouble de gaieté parce que Isabelle, comme prévu, revient en gémissant que le sable est trop fin, coupant et qu'elle déteste, oh ! comme elle déteste ce pays. Elle s'assied sur un rocher plat et remet ses sandalettes avec mauvaise humeur. Elle prend des poses. Elle dit :

— Aidez-moi, docteur.

Et elle tend vers lui une jambe ronde, blonde, belle, couverte d'un duvet soyeux, qui fascine Théa. Sans lui jeter un regard, le docteur dit gentiment :

— Ça suffit, Isabelle.

Et Isabelle se penche sur ses lacets en soupirant. Théa est vaguement contente, elle ne sait pas trop pourquoi. Le docteur est tourné, toujours impassible, vers le groupe des danseuses : elles s'essaient maintenant à faire le pont, l'une aidant l'autre, reins ployés, sous les exhortations du piano. Le corps de Marie, forme, cambré vers l'arrière, un cercle parfait.

Pour le sortir de ses pensées et parce que, de toute façon, Isabelle ne voudrait plus se baigner, Théa s'empare de la main du docteur et lui dit :

— Où allez-vous ? On peut vous accompagner, on sera vos assistantes, docteur.

Isabelle se lève d'un bond, toute maussaderie disparue, et renchérit avec des tas de promesses d'être sages comme des images. Le docteur regarde sa montre, accepte. Il dit qu'une rougeole c'est contagieux, mais qu'elles sont immunisées. Il en sait quelque chose — toute une classe d'écrevisses renifleuses à soigner, c'était assez gai — et il s'enquiert gentiment de l'absence, sur la plage, de la mère d'Isabelle.

Isabelle invente n'importe quoi mais elle brûle de lui dire la vérité, que sa mère fait les malles, empaquette, range, trie et que le départ est proche et qu'elle va se tirer, enfin, de ce pays dégueulasse ; mais

elle ne le dit pas, bien sûr, parce que Théa est là et que du coup, rien n'est simple et qu'à voir Théa gambader insouciante, elle a le cœur écrabouillé de peur.

— J'aime bien regarder les malades, même si c'est contagieux, dit Théa, d'ailleurs moi aussi je serai docteur, c'est un beau métier.

— Beurrk ! fait le docteur et ils rient tous les trois, en traversant la route.

Ils se dirigent vers la Peugeot du docteur — assez moche, pense Isabelle — et Théa s'étonne qu'ils n'y montent pas. Il prend seulement sa sacoche. Théa a le temps d'apercevoir une selle de cheval et elle dit :

— Tu vois, Isabelle, j'avais raison, j'étais sûre que vous montiez, docteur !

— Très peu, dit la voix changée, coupante du docteur.

Isabelle ajoute alors quelque chose — Théa en est suffoquée de clarté — qui jette un froid, une gêne inattendue, grandissante :

— Théa dit même que vous montez le matin, très tôt, à l'Anse Vata, quand tout est encore désert, qu'il n'y a pas un bruit et qu'on ne vous voit pas.

Le docteur jette à Théa un regard glacé, elle dirait presque menaçant. Elle bredouille, désolée, la vérité :

— Je ne sais pas pourquoi j'ai dit ça. Je n'en sais rien.

Mais ce n'est pas tout à fait la vérité. Elle se rappelle vaguement avoir bifurqué, au milieu d'une confidence à Isabelle, et avoir maquillé sa volte-face paniquée, en rejetant sur n'importe qui — le docteur Royan, semble-t-il — le secret de Marie.

Il se détourne d'elle, il avance plus vite, il lance :

— Quelle imagination ! Ridicule !

Théa en a le souffle coupé, il est furieux, c'est clair. Isabelle ne s'est rendu compte de rien, elle suit le docteur qui s'enfonce dans un chemin bordé de goyaviers.

— Où va-t-on ?

C'est Isabelle qui l'a demandé et, tout à coup, elle ralentit, elle préfère attendre Théa. La haie de goyaviers cache les premières bicoques du quartier indigène. Leurs parents leur ont interdit d'y pénétrer et elles échangent un regard hésitant. Le docteur continue d'avancer au milieu des cases en tôle ondulée, des odeurs fortes

et des enfants piailleurs qui lui font escorte. Théa s'essouffle à le rattraper.

— Docteur, vous allez voir les Canaques chez eux ? Je croyais qu'ils devaient venir en consultation à l'hôpital ?

— Quand tu t'es cassé un bras, je suis bien monté te voir sur la Colline aux Oiseaux, non ?

Il a l'air fâché, elles sont indécises, mais tant pis, c'est trop tard, elles le suivent quand même quand il se baisse pour pénétrer dans une hutte, au toit couvert de feuilles de bananiers.

*

A l'intérieur, il fait très sombre, plus frais aussi et des fumées piquent un peu les yeux. Après quelques instants, on distingue mieux, à cause du maigre feu qu'attise une fillette noire, extrêmement gracieuse.

Théa et Isabelle sont fascinées par sa beauté et épient chacun de ses gestes, des gestes de statuette, fine comme un Tanagra.

Son corps est enroulé, au plus près, dans une sorte de sari indien, ou plutôt javanais, et sa coiffure, surtout, accuse un port de tête de princesse hindoue. Ses cheveux, en longues mèches crépelées, sont relevés sur le sommet de sa tête, soulignant une longue nuque gracieuse. Toute une série de petits coquillages nacrés ornent cet édifice. C'est magnifique ! Elle leur offre à boire d'un geste, et elles n'osent pas refuser. Ce n'est pas du lait de coco, c'est chaud, ça fume. Elle porte aussi, autour du cou, un long collier d'hibiscus et de tiarés entremêlés, qui sent très bon. Elles boivent du bout des lèvres, craintivement. Sans la quitter des yeux.

Le docteur, lui, est toujours penché sur une natte, à même le sol, où gît un nourrisson aux grands yeux effrayés. Près de lui, sa mère, sans doute, une lourde popinée, l'évente avec ses jupes. Le docteur se relève, la rassure, lui dit que l'enfant est sorti d'affaire. Sa voix est gaie.

— Tu pourras me l'amener à l'hôpital maintenant, sans crainte.

Il revient vers les fillettes et boit d'un trait la boisson que Théa et Isabelle n'arrivent pas à avaler. Il rit, il se moque d'elles.

— Vous avez raison d'avoir peur, c'est une décoction de sorcière, de ma sorcière préférée...

En disant cela, il caresse la joue de la jeune fille en sari qui lève sur lui ses longs cils frisés.

— Je ne suis pas une sorcière, Michel.

Michel ! Théa et Isabelle échangent un regard stupéfait mais elles n'ont pas fini de s'étonner. La jeune Noire s'avance maintenant vers le docteur, se hausse sur la pointe des pieds et tente de lui passer le collier autour du cou. Il arrête son geste.

— Tu vois bien que tu essaies de m'ensorceler, je le connais ce collier, tu ne m'auras pas.

Ils restent un instant collés l'un contre l'autre, riant, luttant, et la mère du nourrisson semble apprécier leur fausse joute.

— Tu as vu comme elle a grandi, docteur, elle aura quatorze ans cette année...

— Notre âge ! disent les quatre yeux ronds d'Isabelle et de Théa.

— ... Bon, comment je peux faire pour te payer, docteur, je n'ai pas vendu beaucoup d'ignames au marché ?...

Le docteur s'immobilise et foudroie la popinée des yeux. Elle hausse les épaules.

— Va-t-en, Lucia, dit-elle brusquement, chassant la jeune fille, tu vois bien qu'il n'en veut pas de ton collier.

— Si, si, dit le docteur, pour ne pas humilier l'enfant trop cruellement, je le garde... mais je ne le porterai pas !

Lucia abandonne le collier dans les mains du docteur et s'enfuit.

— Ne te sers pas d'elle, c'est encore une enfant, elle serait mieux sur les bancs du lycée.

Le docteur s'est adressé sèchement à la popinée, qui s'entête, reprise par son idée.

— Il faut que je te paye, sinon, il ne guérira pas. Je vais dire à mon beau-frère de t'apporter un poulet !

Le docteur se remet à rire, il dit qu'il préférerait de l'aide pour se débarrasser des roussettes dans son jardin.

— C'est quoi ? dit Isabelle, penchée à l'oreille de Théa.

— Tu sais bien, ces drôles de chauves-souris piailleuses qui volent la nuit d'arbre en arbre, qui volent tout, les fleurs, les fruits.

Elles chuchotent sans bien savoir pourquoi. La popinée est ras-

surée, elle dit qu'elle enverra quelqu'un et il se baisse et s'en va si vite qu'elles prennent peur.

Elles tendent une main qu'on ne prend pas. La grosse femme a croisé ses bras sur son ventre et les scrute, les jauge sans gentillesse. Elles bredouillent, elles ne savent plus où est le trou de la sortie, recouvert quelque part par une natte verticale tressée de lanières de bananiers. C'est la voix du docteur, de loin, de très loin, mais non, de dehors simplement, qui remet de l'ordre dans leurs gestes. Elles finissent par trouver la natte qu'il faut soulever. Dehors, le docteur les attend impatiemment, le soleil tape encore plus fort.

Ils marchent, tous les trois, d'un pas rapide, le long de la Baie des Citrons. Ils ne disent rien. On entend seulement, monotones, les accords du piano qui continuent de rythmer les mouvements des dames en tunique blanche, sur la plage.

Théa ouvre la porte d'une quatre-chevaux et y jette son cartable. Isabelle en fait autant. Théa crie, sans raison vraiment, pour entendre sa propre voix, peut-être.

— Maman, on laisse nos affaires dans ta voiture !

Marie, là-bas, ne répond pas. Elle continue ses arabesques appliquées. Elles ont dit très vite au revoir au docteur et courent maintenant vers la mer, reprises par l'enjeu, la première à l'eau.

Le docteur s'éloigne et puis il revient sur ses pas. Il respire le collier de fleurs et, après un moment d'hésitation, il l'accroche au pare-brise de la voiture de Marie. Parce qu'il a peur, parce qu'il se le reproche, il ne veut pas avoir l'air de fuir, il traîne, il regarde le long banc de sable et la colère le reprend. Il se dit qu'une fois de plus, il n'y a pas un seul Noir sur cette plage. Mais, comme il n'y a aucun écriteau qui le leur interdise, il ne sait plus sur qui passer sa rage. Il se sent impuissant, misérable. Il regarde le ciel sans intention.

*

Théa et quelques camarades de lycée sèchent sur leur corps l'eau de la mer et installent des paréos un peu à l'écart des danseuses.

Elles les regardent de temps à autre et l'on entend dire qu'une

dame a fait venir sa tunique de France, que la couturière locale lui en avait loupé deux. On entend des persiflages aussi et l'une d'elles se bouche les oreilles parce que, soi-disant, le piano de Mme Reiche est de plus en plus désaccordé.

Et puis une voix demande :

— Laquelle est ta mère, Théa, je ne la connais pas?

Tout le monde s'esclaffe et s'étonne parce que la beauté de Marie est réputée et Théa se lance dans une description qui n'en finit pas.

Elle dit que d'abord, c'est la deuxième à gauche et que sa mère est blonde et bleue — les yeux —, qu'elle a les épaules larges, des épaules de crawleuse — elle a gagné un concours à la piscine du Cercle à Saigon le jour où elle a rencontré Charles Forestier — et que ses épaules sont belles quand elle a les cheveux relevés et que l'on voit ainsi sa nuque, si fine, inattendue, et encore qu'elle a de toutes petites mains, des mains mobiles, des mains d'enfant.

Isabelle, qui avait nagé très loin, sort de l'eau et dénoue ses cheveux après le bain. Son maillot colle au renflement de son pubis. Chacune regarde ce détail, mine de rien, elle exagère, le maillot est presque transparent, mais pas tout à fait, c'est vrai, on ne peut rien dire.

Théa continue sa description, les yeux fixés, là-bas, sur sa mère. Elle dit que les genoux de sa mère sont peut-être moins parfaits que le reste de sa personne. Elle dit qu'ils sont un peu carrés, comme les garçons.

Elle ajoute, je me moque toujours d'elle, elle savoure un souvenir, elle a un air vague, heureux, quand une lycéenne près d'elle interrompt sa rêverie.

— Mais c'est le portrait d'Isabelle que tu viens de nous faire!

Théa regarde Isabelle, machinalement, puis son visage se fige peu à peu, devient presque méchant, décontenancé par le choc d'une ressemblance indéniable, qu'elle refuse de toutes ses forces.

— Tu es changée en statue de sel, Théa Forestier, tu as reçu la foudre sur la tête?

C'est Isabelle qui se jette sur elle, la secoue, la pince et lui ordonne de quitter cet air stupide.

Théa lutte avec elle, elles roulent sur le sable, le fou rire rend leurs gestes plus maladroits encore et Théa crie à Isabelle qu'elle

ne lui fait pas peur, et à toutes, que Isabelle ressemble à sa mère, comme un poisson à une bicyclette.

*

Benoît aime mieux se baigner seul et lire sur la plage. Il laisse son vélo près des palétuviers lui aussi, et s'engage sur la plage, son cartable sur le dos. Mais la petite crique corallienne qui l'abrite d'habitude est occupée. Il aurait rebroussé chemin s'il n'avait reconnu la longue carcasse de Jean-Baptiste, les bras en croix, si parfaitement immobile qu'on dirait la mort. Il s'installe alors près de lui et lui prédit un bon coup de soleil, une insolation de première.

Jean-Baptiste bouge à peine les lèvres pour dire qu'il s'en fout. Benoît pense aussitôt qu'il a dû s'engueuler avec sa sœur et pour vérifier il l'informe que Théa se baigne là-bas, pas loin. Jean-Baptiste dit qu'il le sait mais qu'il n'aime pas la voir avec ses amies.

Bon, Benoît n'en saura pas plus. Alors, il ouvre son cartable :

— Regardez mon trophée de guerre !

Ce sont les escarpins à hauts talons de sa mère qu'il pose sur Jean-Baptiste. Ils ne tiennent pas bien, en équilibre sur le ventre pourtant plat du garçon. Sa respiration, Benoît s'en aperçoit, est trop irrégulière. Benoît essaie à plusieurs reprises de les faire tenir droits et puis il y renonce.

— Je vais essayer de les vendre pour m'acheter un fusil sous-marin. Ça vous intéresserait, Jean-Baptiste ?

L'autre ne répond même pas à la question mais murmure qu'il peut prêter à Benoît son propre fusil de chasse.

— Volontiers, dit, très vite, Benoît.

Tout lui semble bon à prendre de ce garçon si taciturne, que toutes les filles convoitent, sauf sa sœur et encore, il n'en est pas bien sûr.

Il joue avec une chaussure et la remplit de sable qu'il verse ensuite sur son corps pour lentement le recouvrir.

— Savez-vous pourquoi on bandait les pieds des Chinoises dans le temps ? Pour que leurs pieds restent petits et qu'ainsi elles aient du mal à marcher. Moins elles pouvaient marcher, plus elles étaient excitantes.

Jean-Baptiste lui jette un coup d'œil rapide et referme ses cils. Benoît continue posément :

— L'érotisme, pour les Chinois, c'était l'immobilité.

Depuis le temps qu'il déverse mécaniquement du sable de l'escarpin, il s'est enterré le corps jusqu'à la taille. Jean-Baptiste suit le va-et-vient monotone de l'escarpin et soupire :

— Décidément, votre sœur et vous, vous êtes bien savants... C'est Théa qui vous a raconté ça ?

C'est au tour de Benoît de ne pas répondre.

*

Derrière les rochers, en dédale, qui abritent la crique, cachées, chuchotantes, Théa, Isabelle et leurs amies les observent, avec l'air gai de préparer un mauvais coup. Elles disent :

— A mon signal, on y va.

Et puis :

— Chacune à un bout de sa serviette !

Théa refuse.

— C'est mon frère !

— Mais puisque c'est un jeu et qu'on ne va pas le tuer !

— Un-deux-trois !

Benoît se retrouve rapidement ficelé dans sa serviette de bain. Les filles traînent vers la mer cette espèce de sac gigotant et l'y maintiennent immergé quelques longues secondes.

Jean-Baptiste s'est assis et assiste indifférent au spectacle, Théa n'est pas là. Tout à coup, une certitude l'envahit et il se retourne sur le ventre. Il aperçoit Théa, mal dissimulée par la haie de palétuviers. Elle ne le regarde pas ; elle regarde la lutte dans la mer. Son visage exprime une grande satisfaction.

Jean-Baptiste soupire et écrase sa joue sur le sable brûlant. Il se rappelle ce même visage, cette même concentration dans ses bras, il y a une heure à peine.

Il entend le hurlement de colère de Benoît qui a échappé à ses assaillantes et qui retrouve son souffle. Il expulse un long cri étonné, vengeur. Il est très en colère et il pourchasse maintenant les jeunes filles qui s'échappent en riant. Leurs jambes robustes, bronzées,

évitent à peine le corps de Jean-Baptiste. Il ne tressaille pas sous les giclées d'eau et de sable qu'elles propulsent avec malice sur leur passage. Il reconnaît le maillot une pièce que Isabelle est seule à porter, ses mollets ronds, et il la chasse de son esprit.

Il veut se rappeler les yeux de Théa, ses lèvres entrouvertes, son visage tendu, à l'affût... mais de quoi, Bon Dieu !...

Et quand Benoît l'injurie copieusement : « Vous auriez pu m'aider, mon vieux, vous n'avez pas les pieds bandés que je sache ! » il ne sait même plus à quoi l'enfant fait allusion, il le laisse partir sans un seul mot de consolation.

Il ne pense plus à rien, il n'essaie même pas, il sent seulement son sexe qui repousse le sable chaud sous son ventre.

*

La grille de la villa des Forestier est ouverte.

Théa et Isabelle, encore couvertes de sel, les cheveux en bataille, descendent à vélo le chemin vers la véranda, le long des vanilliers et des pimentiers.

Elles guident leurs vélos sur toutes les embûches — pierres blanches surgies par hasard, bouts de bois, écorces de pins — que le terrain leur offre. Elles imitent le galop des chevaux devant chaque obstacle à franchir. Isabelle a vite compris le jeu : provoquer, à chaque fois, une légère pression de la selle entre les cuisses. Quelquefois, ça fait mal et elles font la grimace. Les géraniums, du coup, sont écrasés pour le plaisir vengeur de plier ces taches rouges, sous les roues de la bicyclette. Derrière la maison, sur la pelouse, à l'abri des regards, Théa, déjà nue, se douche avec un jet d'eau et en asperge le corps bondissant d'Isabelle qui le lui arrache aussitôt. Isabelle s'agenouille dans l'herbe sur ses talons et, genoux entrouverts, elle guide le jet d'eau pour qu'il effleure en retombant son sexe fendu. Théa s'est emparée d'un autre tuyau d'arrosage et s'agenouille près d'Isabelle qu'elle imite.

Visages levés, côte à côte, elles fixent le soleil le plus longtemps possible.

— Tu vas voir, Théa, attends, ça brûle un peu, mais après sous

les paupières rouges, on voit toutes sortes de choses. Pense à quelqu'un très fort.

Théa ne pense à rien ; elle sent ses reins, son ventre, se contracter comme tout à l'heure à vélo, mais maintenant ce n'est plus par saccades, le plaisir monte, mieux maîtrisé.

Isabelle, si vite, pousse un drôle de cri, lâche le jet et se recroqueville sur elle-même.

— Attends, attends-moi, Isabelle !

Théa se raidit encore davantage, crispe sa main sur le tuyau lisse qui ne doit pas dévier de sa route précise.

Mais la voiture de son père franchit, là-haut, les grilles du jardin, et c'est trop tard.

Charles Forestier n'a que le temps d'apercevoir — il n'en est pas bien sûr — sa fille, petite vestale pétrifiée, offerte nue au soleil, dans une posture bizarre.

Théa, très vite, se relève et détale. Isabelle est déjà loin. La cloche du déjeuner sonne, bientôt, alerte, insistante, dans les deux villas voisines.

Bambo, en maugréant, viendra arrêter les jets d'eau qui continuent leurs longues rigoles dans la pelouse. Qui a encore pu s'en servir sans sa permission ?...

11

Ils ont fini de déjeuner et Rosalie dessert.

Ses pieds nus font un bruit chuintant qui énerve Marie. Mais ce n'est pas la vraie raison : Théa s'est encore mise à parler des grandes vacances qui arrivent, de l'île des Pins où elle ira camper avec Isabelle Demur.

— En Australie, au moins, tu pourrais parfaire ton anglais...

C'est Charles qui l'a dit, sans y croire. Il essaie de faire diversion. Peut-être, lui aussi, se sent-il mal à l'aise, inquiet pour Théa.

C'est lui qui a interdit à Marie d'annoncer à sa fille la vérité, le départ brusque et prochain des Demur. Personne, ou presque, ne le sait en ville et, pour une fois, le secret semble bien gardé. Il faut éviter le scandale. Que l'on découvre seulement après le départ des Demur la basse concussion à laquelle s'est livré le père d'Isabelle. Responsable du service économique, ce haut fonctionnaire a mal résisté à quelques transactions abusives sur les francs CFA.

Au premier bruit alarmant, Charles Forestier avait fait renvoyer, sans explication, aux Demur, le trop beau cadeau d'Isabelle pour l'anniversaire de Théa : un stylo en or.

— Pourquoi ? avait demandé Théa.

— Ce n'est pas un présent pour une enfant, lui fut-il répondu.

Elle n'avait pas insisté. Isabelle n'en avait rien su. Depuis, les preuves se sont accumulées, jour après jour. C'est le gouverneur lui-même qui a décidé de précipiter le départ des Demur. Si Philippe Demur doit être jugé, il le sera en France. Ses pairs ne subi-

ront pas le désagrément de voir l'un des leurs passer des mois en prison. Officiellement, il est muté ailleurs. Même ses enfants ne le savent pas. Mais sa femme ? Marie pense avec tristesse que c'est sans doute par crainte d'affronter les regards que la mère d'Isabelle ne vient plus aux cours de danse sur la plage et ne relance plus la conversation aux sinistres thés du jeudi.

Elle se demande aussi, avec une inquiétude rageuse, comment Théa va prendre ce départ. Cet air heureux, obsessionnel, tendu vers le bonheur qu'elle se promet à l'île des Pins est insupportable.

Marie clôt, nerveuse, une conversation polie entre Charles et son fils sur la valeur des études. Elle dit qu'elle regrette amèrement d'avoir abandonné les siennes pour épouser Charles !

Il marque le coup bien sûr.

— Charmant, merci mille fois !

Et puis, il croit de son devoir de signaler que l'heure de la sieste est largement entamée. L'orage gronde, mais il s'est déplacé. Après tout, c'est ce que Marie voulait. Elle voit son mari se diriger vers les escaliers. Il n'échange avec elle aucun regard.

A mi-hauteur, il profère seulement :

— Vous vous reposez au moins une demi-heure, les enfants.

Chacun sait ce qu'il lui reste à faire, Marie la première qui se lève pour le suivre.

Benoît la retient au passage.

— Tu sens bon, Maman, tu sens la fleur de tiaré.

Théa lève des yeux surpris sur le collier que Marie détache de son cou et lance à son fils, avant de disparaître en haut des marches.

— Je t'en fais cadeau. Je l'ai trouvé sur mon pare-brise.

Rosalie l'intercepte au vol et Théa, tout à coup, revoit son trajet, le reconnaît : la jeune fille en sari, le docteur, sa mère et maintenant Rosalie qui égrène le chapelet de fleurs :

— Un hibiscus, deux tiarés, une feuille de niaouli, un hibiscus... Ce sont les gens de Lifou qui font les colliers comme ça !

Elle lève des yeux perplexes vers l'endroit où Marie a disparu et murmure, d'une voix craintive :

— ... C'est le collier des sorciers, le collier des amants.

Théa fixe le collier, interloquée. Rosalie le lui tend vite, pour s'en débarrasser, on dirait.

— Je ne tiens plus sur mes jambes avec cette chaleur. Profitez bien de la sieste... Oh ! maladroite !

Théa, d'un coup sec et définitif, a cassé le fil de chanvre qui retenait les fleurs. Elle les écrase sur le sol, d'un pied indifférent.

— Tu viens, Benoît ?

Mais c'est lui qui l'attend déjà, en bas des marches. Ils montent lentement, épaule contre épaule, en s'observant du coin de l'œil. A la première marche qui grince, ils démarrent brusquement leur course rituelle et s'étalent à plat ventre, en haut de l'escalier. Le menton sur le marbre froid, ils voient la porte de la chambre paternelle s'ouvrir et les pieds nus de Charles Forestier apparaître.

— Je vous demande un moment de répit. Je vous conseille de me l'accorder.

Avant que la porte ne se referme, ils ont le temps d'apercevoir, dans la chambre sombre, la moustiquaire qui palpite autour du lit, sous les pales du ventilateur, les jambes de Marie, un instant voilées par sa robe qui tombe.

La clé tourne dans la serrure et les ressorts du lit grincent.

*

Théa ouvre violemment les persiennes de leur chambre, que Rosalie avait pris soin de refermer vers midi, pour éviter une trop grande chaleur.

Au-delà des jardins mitoyens, les volets d'Isabelle et de Sébastien sont sagement fermés.

— Tiens, dit-elle, ils ont empilé des caisses dans leur garage, les religieuses vont bientôt passer pour le Noël des pauvres, j'avais complètement oublié !

Des Noirs, affalés sous des arbres, le chapeau sur les yeux, somnolent.

— Je ne peux pas supporter que la vie s'arrête à heure fixe, dit Benoît, en lançant, d'un pied vengeur, sa chaussure contre le mur. Le bruit qu'elle fait, en renversant sur son trajet les escarpins de Marie, est impressionnant.

Théa et Benoît s'immobilisent une seconde, quand la voix tonnante de leur père les rappelle au silence imposé.

Ils se jettent ensuite sur leurs lits, aux deux coins opposés de la chambre et Benoît prend un livre, en maugréant.

Théa, étalée de tout son long, fait grincer les ressorts du sommier, d'un léger mouvement de reins.

Benoît, sans quitter son livre des yeux, renchérit. C'est à qui, très vite, fera plus de bruit que l'autre. Ils finissent par sauter, debout sur leurs lits.

Inévitablement, la porte s'ouvre et leur père surgit, un sarong autour des reins, l'air menaçant.

Ils fuient, sans attendre, et sautent par la fenêtre, dans le jardin. Charles Forestier apparaît très vite au bout de l'allée de gravillons qui borde leurs fenêtres.

— Je veux vous parler, vous n'êtes plus des enfants. Revenez.

Parce qu'elle sent Benoît indécis, troublé par la haute silhouette paternelle, Théa s'interpose, à voix basse :

— N'y va pas. Je t'en prie, Benoît, n'y va pas !

Mais Benoît est comme attiré par la voix chaude, persuasive, qui promet le pardon, la fin des hostilités.

Théa, recroquevillée près des pimentiers, ne peut rien faire pour empêcher la suite.

Tout va très vite. Benoît s'avance, confiant, vers son père. Dès qu'il est à sa portée, la main paternelle le frappe d'une gifle si violente qu'il va rouler dans les plates-bandes, écrasant les capucines sous le choc de son corps.

Sans attendre, Charles Forestier réintègre sa chambre.

Benoît se relève difficilement et s'éloigne, d'un pas chancelant, vers le sentier du sémaphore.

Il n'entendra pas la plainte animale de Théa qui berce sa joue qu'aucune main n'a frappée.

— ... Mal... mal... j'ai mal..., je le tuerai.

*

« Frapper cet enfant que j'aime plus que tout au monde, Marie, j'ai peur, je deviens fou... Ne fais pas semblant de dormir, les pales du ventilateur font un bruit mou, sinistre et la persienne, qui bat, échappée, m'aveugle de lumière imbécile... Tes pieds vigoureux,

tes mollets ronds et ton geste gracieux pour rattraper le volet qui scelle à nouveau l'étouffoir sombre de la sieste... Tu t'es recouchée, ma somnambule, et tes seins écrasent le drap, haussant ton dos avant le creux arrondi de la taille qui rencontre tes fesses larges, si blanches, que le maillot habile ne comprime plus... Oh, Marie ! Je ne supporte plus le soleil, la mer, les visages veules ou pleins d'une morgue hiérarchique, l'excitation apeurée, abjecte, qui s'est emparée de tous, oui de tous, de moi aussi, à l'annonce de l'arrivée du ministre... cet imbécile qui n'y connaît rien, qui apporte des solutions que personne ne lui demande, à qui l'on doit des comptes et des sourires, je n'en peux plus... »

Il n'a rien dit de tout ça, bien sûr, mais la fausse dormeuse voit dans l'ombre ses yeux ouverts, sa mèche argentée sur son front haut, sa respiration oppressée.

Elle tend la main. Il tressaille et ferme les yeux, comme pris en faute.

— Partons, dit Marie.

— Non, me faire muter ailleurs ne servirait à rien. C'était pareil en Indochine, avant Dien Bien Phu. L'Afrique, tout entière, va suivre. Partout, c'est la débâcle. Il est de mon devoir de rester, d'essayer, de freiner le processus. Il faut maintenir l'éclat de la France dans le Pacifique. Viens près de moi...

Mais Marie s'est retournée. Sa main a quitté le ventre soyeux de son époux. Sa respiration s'est faite régulière.

12

Dans le vestiaire du lycée Bougainville, l'excitation est à son comble. Penchées sur leurs sandalettes ou leurs ballerines, c'est selon, les élèves de la classe de Théa se déchaussent. Elles ont décidé de célébrer l'approche des vacances à leur façon : il s'agit de ridiculiser Mlle Fraisse en l'imitant dans l'une de ses bizarreries, les épaisses chaussettes blanches qu'elle porte à longueur d'année, roulées, haut, sur ses chevilles, malgré la chaleur.

Pendant que l'une d'entre elles guette son arrivée par la lucarne, les autres sortent, chacune de leur cartable, une paire de chaussettes de laine identique, et l'enfilent gaiement. Elles ont épuisé le stock du Maréva, le grand magasin de la ville. La vendeuse a dû faire une demande de réapprovisionnement urgent. Son chef n'en est pas encore revenu, et se perd depuis en conjectures.

Chacune s'inquiète de l'absence de Théa qui arrive hors d'haleine, quand la cloche sonne.

Elle aperçoit ses amies, identiquement parées pour « la bonne leçon à donner au prof », le complot, la vengeance qu'elle a elle-même fomentée.

Elle est consternée et les filles comprennent vite, à sa tête, son oubli.

— Tu l'as fait exprès !

Théa se retourne vivement vers Marianne, mais Isabelle, à son tour, enchaîne, déçue :

— C'est raté. S'il en manque une, on abandonne. C'est toi-même qui l'avais dit, Théa.

Théa affirme que rien n'est perdu et détale.

— Je vais dans la cour des garçons, ils sont en gym, je trouverai bien quelqu'un qui me prêtera les siennes.

Elle n'a pas plutôt disparu qu'une fille, à la lucarne, s'époumone :

— Voilà le prof !

Toutes, aussitôt, rient de plaisir et se mettent en rang par deux, après un bref ajustement de leurs chaussettes.

Mais la guetteuse leur dit d'attendre, que Mlle Fraisse n'est pas seule.

— Le proviseur l'accompagne et un gros type qui doit être l'inspecteur.

Un vent d'affolement gagne la jeune troupe.

— C'est trop risqué !

— Ça change tout !

Bref, les chaussettes s'empilent rapidement les unes sur les autres dans les casiers du vestiaire.

Elles suivent, déçues, le prof et ses acolytes inattendus qui pénètrent dans la salle de classe.

Avant de refermer la porte, Isabelle se retourne, inquiète. Théa n'est toujours pas de retour.

Elle ne tarde pas pourtant et revient essoufflée. Elle prépare, devant la porte fermée, son entrée. Elle roule soigneusement sur ses ballerines, les chaussettes douteuses mais comiques — si grandes ! — qu'elle vient d'extorquer, sans trop d'explications, à un jeune colosse qui lui a caressé le mollet.

— A charge de revanche, a-t-il dit seulement.

Elle est repartie si vite que même Jean-Baptiste, qui faisait le pion dans la cour, n'a pas eu le temps d'approcher ses longues jambes inquiètes.

*

Dans la classe, un silence tendu s'est installé dans les rangs des élèves.

— L'inspecteur est là pour vérifier le niveau de la classe et la tenue générale du cours de français, leur annonce Mlle Fraisse, d'une voix un peu oppressée.

— Voyons, ne les effrayez pas, faites comme si je n'étais pas là !

Il est difficile de ne pas comprendre, au son de sa voix, que l'inspecteur n'a aucune sympathie pour le professeur.

Il ajoute plus gentiment :

— ... Je suis certain de votre autorité sur ces demoiselles.

La porte s'ouvre doucement, en grinçant. Toutes les têtes se tournent. Isabelle craint le pire et se cache le visage entre ses doigts écartés.

Dans la porte entrebâillée, le pied de Théa, plus minuscule encore d'être empaqueté d'une si vaste chaussette, apparaît à mi-hauteur, se présente en quelque sorte et, après quelques gracieuses contorsions, cède la place à son autre pied.

Le silence est total dans la classe. Le professeur paraît changé en statue de marbre.

L'inspecteur échange avec le proviseur, qui lui indique d'un sourire bref les pieds de Mlle Fraisse, un regard mi-amusé, mi-courroucé. Toutes les élèves sont pétrifiées de crainte. On entend des gémissements et des pupitres se lèvent pour cacher des rires nerveux.

Mlle Fraisse se rue sur la porte, derrière laquelle Théa maintient toujours son équilibre instable. Elle est propulsée en avant. Elle tombe, dans un grand écart approximatif et douloureux, aux pieds de Mlle Fraisse, visés par sa dérision.

Sa satisfaction est de courte durée. Aucun rire ne salue sa performance. Elle aperçoit l'inspecteur, jette un regard rapide sous les pupitres et comprend tout. Morne plaine !

Le proviseur et l'inspecteur s'en vont et ne l'aident pas à se relever.

— Suivez-nous, ordonnent-ils et vous, mademoiselle, continuez votre cours... si tant est que vous en soyez capable !

Théa se relève avec difficulté. Le professeur a les yeux baissés et ne la regarde pas.

Isabelle lui fait un signe d'impuissance désolé quand elle quitte la salle.

Théa affecte la désinvolture mais rate sa sortie en trébuchant sur sa chaussette.

*

Devant la glace des toilettes, Théa lisse avec application ses longs cheveux plats. La cloche de la récréation a sonné, entraînant des allées et venues de lycéennes, dans un bruit insistant de chasses d'eau.

Isabelle apparaît derrière elle et Théa vérifie avec satisfaction son visage, puis sa voix, inquiète :

— Tu es renvoyée ?

— Penses-tu ! dit Théa, plus faraude maintenant, j'ai pris quatre heures de retenue, c'est tout. Ce n'est pas assez grave pour que papa me prive de l'île des Pins.

— Encore ! s'énerve Isabelle, qui se détourne, attirée par des bruits de vomissements, des hoquets qui montent d'une porte des toilettes.

— On peut t'aider ? demande-t-elle, en s'approchant de la porte.

Théa enchaîne, avec une morgue que Isabelle ne lui connaissait pas :

— ...Quand l'inspecteur a su mon nom, il s'est calmé. Il m'a même dit de faire ses amitiés à mon père. Il a ajouté que Mlle Fraisse ne l'avait pas volé avec ses excentricités. Je crois qu'elle ne fera pas long feu, elle n'a pas la cote. Cette histoire de chaussettes les a fait ricaner. Figure-toi qu'il paraît qu'on lui a brûlé la plante des pieds, là-bas, en France ou en Algérie, je ne sais plus.

— Quelle horreur ! C'est pour ça qu'elle les cache, mais pourquoi ?

— Elle portait des valises, j'ai pas bien compris. Ils discutaient entre eux... Et vous alors, qu'est-ce qu'elle vous a dit ?

— Rien, dit Isabelle, sidérée de l'indifférence nouvelle de Théa. Elle a filé dès que la cloche a sonné.

Théa soupire méchamment :

— J'espère qu'on ne l'aura pas l'année prochaine.

— L'année prochaine, se lance Isabelle, en serrant les poings, je ne serai pas...

Mais elle s'arrête, stupéfaite. La porte des toilettes s'est ouverte, derrière Théa. Mlle Fraisse, presque méconnaissable, pâle, les yeux rouges, se cache, vaguement, derrière un mouchoir et s'esquive.

Isabelle en a le souffle coupé. Mais déjà, Théa qui n'a rien vu l'entraîne, volubile.

— Vite, au Château d'Eau, j'ai un plan de l'île des Pins, je vais te montrer l'endroit où étaient Louise Michel et les communards.

« Je m'en fous, pense Isabelle, je m'en fous, je vais tout lui dire. » Mais elle ne peut pas. Les mots lui restent dans la gorge. Le visage du prof de français, le chagrin, le malheur qui défigure, c'est trop dur. Pas Théa.

Il lui faut, comme une automate, suivre la jupe dansante de son amie, traverser le tohu-bohu de la sortie des cours. Théa fend les groupes, tête haute sous les condoléances, refuse un affrontement de ping-pong au Cercle militaire, au grand regret d'Isabelle, et prend l'air mystérieux.

— On le sait que vous allez au Château d'Eau, lance un malicieux.

Théa en perd le souffle. Abasourdie une seconde, elle se rassure vite et reprend du panache.

— Personne ne connaît l'endroit, à part Isabelle et moi. Qui peut dire le contraire ?

Les groupes s'éloignent bientôt, vaguement ricaneurs, et Théa soupire d'aise, en lançant à Marianne qui s'incruste, un au revoir à peu près amical.

Sans la regarder, Isabelle prend le bras de Marianne.

— Elle vient avec nous.

— C'est un secret, tu es folle ! s'exclame Théa, en tapant du pied.

Mais elle ne peut que suivre, déconcertée, les deux bicyclettes d'Isabelle et de Marianne qui cheminent côte à côte, sans plus lui prêter attention.

Isabelle a haussé les épaules au mot « secret », Théa l'a bien vu. Quel culot ! « C'est son mot préféré, je ne comprends pas. Oh, ce qu'elle m'agace ! » pense Théa.

Elle accélère, néanmoins, pour se mettre à leur hauteur.

*

La place des Cocotiers est barrée à la circulation. Elles doivent mettre pied à terre pour la traverser.

Il y règne une agitation feutrée.

Théa aperçoit Bambo, au milieu d'un petit groupe.

Il a déplié, devant lui, le journal local *la France australe*. La première page annonce en gros titre l'arrivée prochaine du ministre de la France d'Outre-Mer. Bambo fait, à haute voix, la lecture à quelques indigènes, groupés autour de lui.

On déploie des banderoles entre les cocotiers et des gendarmes en uniforme passent en faisant claquer le bleu-blanc-rouge des drapeaux de parade.

Elles s'approchent et entendent Bambo terminer sa lecture appliquée : « ... rendre l'île gaie et accueillante pour le ministre qui nous honore de sa visite. »

Théa l'observe avec curiosité ; ce n'est pas seulement qu'il est sur son trente et un, propre comme un sou neuf, son air aussi est différent, pénétré d'importance et de contentement.

— Que tu es beau, Bambo !

Elle fait rebondir les trois syllabes pour le faire rire. Sans succès.

— Je sais, dit-il, en serrant avec cérémonie la main des trois demoiselles. C'est que je suis de la revue — et mon frère aussi. Bambo désigne fièrement son frère qui s'incline à son tour.

— ... Mon frère vient d'être nommé chauffeur temporaire des zuiles. C'est grâce à votre papa, mademoiselle Théa !

Ils s'éloignent rapidement, on les appelle un peu plus loin. Ils s'en vont aider à installer les derniers gradins d'une estrade de bois.

On voit aux fenêtres de l'École religieuse de Saint-François-Xavier les cornettes blanches des sœurs qui suivent la progression des préparatifs.

Isabelle et Marianne regardent se dérouler un long tapis rouge. Elles s'amusent à esquisser un pas de danse, au rythme des marteaux sur les clous. On renforce partout les planches de bois.

Trois coups de sifflet, stridents, immobilisent chacun.

Toutes les têtes se tournent vers le bout de la place, de l'autre côté de l'École des Sœurs.

Pour mieux voir, les filles grimpent tout en haut de la tribune déserte.

Une longue file de Citroën noires, resplendissantes sous le soleil, s'approche lentement. Un petit orchestre de la Garde nationale les précède dans un vacarme de cuivres assourdissant.

Un gendarme s'époumone en vain :

— En silence, voyons ! En silence !

— Qu'est-ce qu'il veut ? demande Isabelle.

Personne n'y comprend rien. Le gendarme s'énerve, court vers les musiciens, et les arrête. On voit de loin les gestes qu'il fait, le moment d'incertitude que tout le monde traverse. Et puis, l'orchestre repart, suivi des Citroën.

Mais maintenant, tous les instrumentistes simulent les gestes, la trompette près des lèvres, les baguettes effleurant à peine le tambour.

Plus de musique, plus de bruit. La procession avance toujours, dans un silence pesant, vers l'estrade de bois où sont grimpées Théa, Isabelle et Marianne. Cette dernière a un rire nerveux et Isabelle fait avec ses lèvres un bruit agacé. Elle semble, comme Théa, hypnotisée par le spectacle, par le halo de poussière blanche que soulèvent les voitures, par la progression inquiétante des mimes.

La première Citroën s'arrête à la hauteur du tapis rouge, juste devant la tribune d'honneur. Le chauffeur noir est en livrée, la casquette enfoncée sur ses yeux inquiets. Il se trompe, il place mal la roue de la voiture, il faut qu'il recule d'un bon mètre. Il cale son moteur et se fait attraper. Marianne étouffe un ricanement. Isabelle, sans quitter des yeux le spectacle, pose sur elle une main ferme qui implore le silence.

Théa, sans bouger la tête, voit leurs mains qui restent l'une sur l'autre.

Le chauffeur qui a enfin réussi sa manœuvre, descend et se précipite pour ouvrir la portière arrière.

Il s'incline respectueusement, longtemps, pendant que rien ne se passe puisque la voiture est vide, que tout ça n'est qu'une sinistre répétition et qu'il n'y a encore que le fantôme du ministre. Sans comprendre pourquoi, Théa n'y tient plus, elle casse le silence, elle applaudit de toutes ses forces. Isabelle et Marianne en font autant, leurs mains se séparent et leurs bravos en entraînent d'autres, un peu partout sur la place. La voiture repart et une autre la remplace.

Le frère de Bambo est au volant. Il se livre au même manège humble et obséquieux. Théa, la gorge serrée, entend la voix d'Isabelle balbutier :

— On s'en va, j'en ai marre.

— Mais pourquoi ? se désole Marianne.

Théa regarde Isabelle, avec dans les yeux un tel amour. Elle se lève aussitôt.

13

Benoît rôde devant les grilles fermées des usines du Nickel. Ses pieds lui font mal. Il n'a pas eu le temps de se rechausser pour fuir la colère de son père. Il a erré des heures, sans but, dans la forêt du sémaphore. Maintenant, il est redescendu dans la vallée, attiré par les hauts fourneaux en fusion qui crachent leur feu rouge et jamais ne s'essouflent. A l'école, un jour, le professeur de sciences naturelles leur a montré un bout du minerai. C'était une belle pierre d'un vert profond. Il sait, depuis, que l'alliage de cette pierre avec les aciers les rend inoxydables et qu'on a besoin du nickel quand on fabrique des cuillers à café mais aussi des fusées interplanétaires. C'est un mot magique dans l'île. Les gens en parlent avec respect. C'est mieux que de l'or, il paraît.

Pour l'heure, Benoît s'est assis dans la poussière devant les grilles et trace, autour de lui, un grand cercle défensif : il pense à son père, à la façon dont il prononce « la Société du Nickel » et il se met à canarder, avec un fusil imaginaire, les hauts fourneaux. Il décide que la gifle sera minutieusement marchandée — contre un solex, tiens c'est une bonne idée, un solex, il pourra prendre Théa sur son porte-bagages.

Mais il doit se relever rapidement, les ouvriers sortent par petits groupes et il s'éloigne un peu, pour les observer. Ils parlent avec véhémence, ils ne font pas attention à lui.

Une jeep arrive en soulevant la poussière. Le gardien du sémaphore en descend. Les ouvriers ont l'air de le connaître. Il se mêle

à eux. Ils lui parlent, en faisant de grands gestes furieux. Le gardien se saisit d'un casque de protection qu'ils portent tous sur la tête. Il observe la visière, l'arrache et jette violemment le casque par terre.

Bientôt, les autres imitent son geste et les casques s'empilent les uns sur les autres. Benoît voudrait bien s'approcher et en prendre un, pour voir comment c'est fait, mais il y a un cri et quelqu'un arrive en courant :

— Voilà le docteur qui ressort !

C'est vrai, c'est le docteur Royan qui ouvre grandes les grilles. Il marche près d'une civière, où un corps, couvert d'un drap blanc, est étendu. Il est suivi par quelques chefs en blouse blanche. Ils se disputent. L'un des chefs tient à la main un registre que le docteur repousse.

— Non, je ne signerai pas. La grille de protection date de Mathusalem, les casques ne suffisent plus. Ça fait plus d'un an que je vous l'ai signalé !

Les chefs essaient de parlementer.

— Ça n'a rien à voir, cette fois-ci. C'est un nouveau. C'est pure maladresse de sa part...

Le docteur garde son sang-froid. Il secoue la tête plusieurs fois. Il aide les brancardiers à entrer la civière dans une petite ambulance qui vient d'arriver. Elle s'éloigne bientôt en cahotant, suivie par tous les regards.

Le docteur ne serre pas les mains qu'on lui tend.

— Les accidents du travail ont atteint des proportions démentielles, je vous jure que mon rapport va être soigné, cette fois-ci, j'ai déjà trop tardé.

Il s'éloigne, seul, à pied. Les contremaîtres en blouse blanche parlent haut pour qu'il entende.

— Il s'est fait avoir, on lui a bourré le crâne.

— On l'a soudoyé, je vous dis ! Dès qu'un ministre est annoncé, ils font tout pour attirer l'attention...

— Ils n'ont qu'un but, c'est salir l'Administration en place.

— Il faudra demander aux assurances un autre toubib, mais celui-là va être dur à dégommer, murmure quelqu'un. Il est intime avec le ministre. Ils ont été résistants ensemble.

Il y a des injures, quelques cris de la part des groupes d'ouvriers mais les contremaîtres s'en fichent, semble-t-il, ils continuent de parler entre eux.

— Regardez ! J'avais raison...

Benoît regarde aussi. Là-bas, la jeep du gardien du sémaphore s'est arrêtée à la hauteur du docteur Royan. Le docteur a l'air d'hésiter et puis il monte dans la jeep qui s'éloigne.

— Qu'est-ce que je vous disais ? Il connaît le meneur du sémaphore. Celui-là, il est fiché chez les flics. Vous voyez ils sont tous de connivence... Ça va, c'est clair maintenant.

Benoît sursaute. Le sifflet du contremaître lui vrille les tympans. Il fait signe aux ouvriers de rentrer, de reprendre le travail. Ils refluent lentement vers les grilles. Certains continuent de regarder vers l'endroit où la jeep a disparu. Les contremaîtres ferment la marche.

Benoît sort de sa cachette et s'approche des casques qui sont restés entassés dans la poussière. Il en ramasse un et le tourne dans tous les sens. La visière est très sombre. Le métal en fusion doit brûler les yeux, sinon.

Il bâille et sursaute parce qu'une voix hostile l'interpelle. Un ouvrier revient à grands pas vers lui.

— Ne touche pas à ça. C'est un instrument de travail. Où sont tes chaussures ?

Benoît ne rend pas le casque et s'enfuit avec son butin. L'autre le pourchasse, sur quelques mètres seulement.

— Vous n'aviez qu'à pas les jeter, crie Benoît.

Il se trouve désagréable, vraiment antipathique mais enfin, c'est comme ça, il a horreur qu'on le tutoie.

14

Théa, Isabelle et Marianne prennent de l'élan en passant devant le Palais du Gouverneur. La route de la Colline aux Oiseaux est vraiment raide et, très vite, il leur faut mettre pied à terre, pousser leurs vélos. Le Château d'Eau se trouve à mi-hauteur. Elles ont du temps pour bavarder mais Théa n'en a pas très envie. Elle déteste la robe à pois de Marianne. « Ça me gâche tout », pense-t-elle.

Elle s'oblige à regarder ailleurs.

Le long du parc du Gouverneur, qui s'étend sur tout un flanc de la colline, des hommes en treillis bicolores, courbés sur le sol, arrachent les mauvaises herbes. On entend des aboiements de chiens, sur le passage des collégiennes.

Un des hommes, un gros avec un tatouage sur le bras, lève la tête.

— Bonjour, lance-t-il.

— Bonjour, répondent trop vite Théa et Isabelle en échangeant un bref regard qui les fait pouffer de rire.

Dans cette position accroupie, l'air de rien, il laisse pendre son sexe dans la fente de son pantalon et l'expose ainsi, à leurs regards.

Il y a longtemps qu'elles ont repéré son manège. Elles ont eu une peur bleue et puis, à la réflexion, Isabelle a dit que c'était pitoyable et pas dangereux et qu'il ne fallait rien dire à personne.

— Tu le jures, Théa ?

Théa, bien sûr, avait juré.

Marianne ne remarque rien en passant près de lui. Elle ne voit

pas comment il ouvre ses genoux vers elle, tout en faisant semblant d'arracher une racine récalcitrante.

Malgré l'éclair furieux dans l'œil de Théa, Isabelle dit gaiement à Marianne :

— Tu as vu nos bagnards, ils sont pas dégonflés, hein ?

Mais Marianne baisse le nez d'un air dramatique. Elle prend un ton sévère.

— C'est pas des bagnards, c'est des droits-communs, c'est tout.

— Gnagnagna..., fait Théa sans moquerie excessive, ravie que l'autre s'enferre dans un cours de morale qui ne peut qu'ennuyer Isabelle.

— ... C'est terrible, cette fausse liberté qu'on leur donne quand on les fait travailler ici, sur la grande terre. C'est dangereux. Tout le monde les déteste.

— Ils n'ont qu'à s'échapper, lance Isabelle, en mâchonnant avec indifférence un brin d'herbe.

Mais Marianne est intraitable.

— Où veux-tu qu'ils aillent sur une île ? Ils sont rattrapés ou dénoncés. Les requins ou le cachot, tu parles comme c'est gai pour eux ! Vous êtes vraiment d'une inconscience...

Elle a envie de les planter là, elle se dit que décidément elle ne les aime pas beaucoup. Mais souvent, sans elles, sans Isabelle, elle s'ennuie. Elle décide de changer de conversation. D'ailleurs, elle commence à s'essouffler.

— C'est loin, le quartier résidentiel ! Tous les fonctionnaires habitent là-haut ?

— Presque tous, dit Théa qui jubile, très consciente du fait que Marianne vient de perdre du terrain. Et toi, au fait, où tu habites ?

— Au-dessus du magasin d'alimentation de mon père, murmure Marianne.

L'ennui, c'est que Isabelle enchaîne avec précision :

— Tu dépasses la dernière usine dans la vallée du Nickel, et c'est la troisième petite maison grise, avec un porche de bois peint. En bleu, je crois ?

— Oui, dit Marianne.

Théa a du mal à respirer. Elle fait un effort pour avoir l'air naturel mais ses mots se bousculent, trébuchent sur ses dents.

— Comment le sais-tu ? Tu y as été ? Sans moi ? Quand ?

Isabelle ne répond rien, elle mâchonne toujours cette saleté de brin d'herbe. On entend distinctement le bruit de roues de leurs bicyclettes qu'elles poussent toujours sur le chemin. Théa rit mal, elle essaie en tout cas.

— Ah, c'est ça que tu voulais m'avouer tout à l'h...

— Je n'ai rien à t'avouer ! la coupe, très sèche, Isabelle. Je déteste ce mot.

« Vite, vite, dire quelque chose avant de souffrir, pour faire barrage au chagrin, vite... » pense Théa. Et c'est vers Marianne une fois de plus qu'elle tourne sa rage.

— Dis donc, ça doit puer pas mal chez toi...

Marianne approuve, renchérit même.

— A qui le dis-tu ! C'est une calamité quand le vent reflue, les fumées des hauts fourneaux viennent droit sur nous. Ma mère n'essaie même plus de lutter contre la poussière et les odeurs. Elle s'assied sur le perron et elle attend. C'est pour ça que toutes les maisons sont grises dans la vallée. Il y a une pétition qui circule pour que le ministre nous fasse reloger ailleurs et ma mère...

Elle n'ajoute rien, parce qu'elles doivent toutes les trois, très vite, se ranger sur le côté. La jeep du gardien du sémaphore remonte en trombe. Elle dérape dans chaque tournant. Une bouteille s'échappe de sa plate-forme arrière. Elles la suivent des yeux. Elle roule et s'arrête, presque à leurs pieds, dans les herbes hautes qui bordent la route goudronnée.

C'est une bouteille de bière. Personne ne la ramasse.

*

Elles bifurquent dans les dédales d'un chemin de broussailles qui s'ouvre sur une petite clairière.

Théa et Isabelle s'installent dans l'herbe sans se regarder. Marianne ne s'assied pas près d'elles, elle les domine. Elle arrache une longue branche de fougère qu'elle fait cingler dans l'air. Elle s'étonne :

— Je croyais qu'on allait au Château d'Eau ?

Isabelle pose sa main, à plat, sur le sol qu'elle flatte.

— On y est, il est dessous, creusé dans la roche de la colline.

— Ça alors ! Je vous croyais plus curieuses, vous n'êtes jamais entrées, je...

— On t'attendait, ironise Théa pour lui fermer la bouche.

Allongée dans l'herbe, les yeux fermés, elle ricane douloureusement. Profanation, oui c'est ça, cette gourde avec sa robe à pois et ses baskets disgracieuses est en train de profaner cet endroit, pense-t-elle, et elle cale bien sa nuque sur son cartable, en guise d'oreiller. Pas question de sortir la carte de l'île des Pins. D'ailleurs, Isabelle ne lui demande rien de ce genre. Elle écoute avec un intérêt de moins en moins camouflé tout ce que dit Marianne.

— ... caché dans le Château d'Eau, jamais retrouvé, le trésor des premiers navigateurs, Cook... Bougainville. On dit même que la tribu des Kounié vient encore y faire des sacrifices religieux !

— Mais pourquoi ?

Isabelle adore les histoires et Marianne en profite, dose ses perfides effets.

— Figure-toi que Cook, la première fois qu'il a débarqué, les Canaques ont essayé, mine de rien, de l'empoisonner, lui et ses adjoints. C'était un test, pour savoir si c'était un dieu.

— Et alors ? questionne Isabelle, qui sait que maintenant même Théa la boudeuse écoute.

— Eh bien, Cook a été affreusement malade mais il s'est caché ici, dessous, tout le temps de ses vomissements. Il n'est ressorti qu'une fois guéri... Alors, ajoute-t-elle, condescendante, on va voir comment c'est à l'intérieur ?

Théa, rassérénée que Isabelle attende sa décision, se lève et ouvre la marche, indifférente.

— Pourquoi pas ?...

*

La vieille porte en fer du Château d'Eau est maintenue par une lourde chaîne rouillée.

Elles l'enlèvent facilement. Il n'y a même pas de cadenas. Bizarre.

Les deux battants grincent et s'ouvrent sur du noir. Elles avan-

cent et disparaissent du regard de l'autre. Leurs voix résonnent à l'intérieur. Un très fort écho, en trois tons, decrescendo, les amplifie, les déforme.

— Théa — Théa — Théa ? questionne, au bout d'un long silence, la voix inquiète d'Isabelle.

Il y a dans l'air comme un rapide battement d'ailes et Théa hurle :

— Attention-tion-tion !...

Elle sort en courant, suivie des deux autres, pas rassurées, tremblantes.

Haletante, Théa s'écroule de rire, dans l'herbe du chemin. On a du mal à comprendre ce qu'elle dit.

— Vide, je vous dis, vide, je le savais bien. Rien que des réservoirs d'eau et quelques vagues chauves-souris... Vide.

Marianne fait semblant d'être fâchée. Elle met à nu, méticuleusement, la longue tige de sa fougère et en menace Théa.

— Tu vas nous le payer ! Je ne m'arrêterai que quand tu me lècheras les pieds.

Elle fouette Théa, sans violence toutefois, ne prenant bien soin de ne pas lui faire du mal.

Théa ne se défend pas, au contraire, elle l'encourage :

— Plus fort, plus fort, tu triches, je ne sens rien, plus fort je te dis...

Elle ouvre son chemisier, offre ses seins pâles aux coups de Marianne.

Isabelle ne le supporte plus, tout à coup. Elle lutte avec Marianne pour lui arracher la branche.

— Oui, oui, à toi, Isabelle, c'est ton tour, dit Théa, étalée, consentante, dans l'herbe.

Mais Isabelle brise la tige, sur son genou d'un coup sec, la jette loin d'elle et parle à Marianne d'une voix sifflante.

— Ça suffit. Fous le camp !

Marianne a beau expliquer que c'était pour rire, elle doit s'éloigner de la colère d'Isabelle.

Elle descend à pic, en prenant des risques, vers la vallée du Nickel. Isabelle chasse des yeux sa bicyclette qui disparaît.

Elle reprend peu à peu un souffle plus régulier.

Théa, assise dans l'herbe, referme le dernier bouton de son che-

misier, baisse sa robe sur ses cuisses, striées de légères marques rouges.

— Qu'est-ce qui te prend ? On s'amusait pour une fois, ta copine et moi…

Isabelle, sourcils froncés, lui tend la main pour l'aider à se relever, lui enlève quelques brindilles piquées dans ses cheveux. Théa voit bien qu'elle fait tout ça avec un soin extrême. Elle se penche, elle déplisse même le bas de sa robe maintenant ! Quand elle se relève, elle enveloppe Théa de ses yeux clairs :

— On est mieux toutes les deux, non ?

Théa est tellement sidérée de sa mauvaise foi qu'elle ne prend même pas la peine d'acquiescer.

15

Les visages des danseurs canaques sont peints de lignes blanches qui s'entrecroisent et les masquent d'une expression féroce.

Les hommes sont ceints de pagnes en fibres de bananier, coiffés de coquillages et de becs d'oiseaux.

Ils dansent en agitant vers le ciel et la terre des piques et des lances : le pilou-pilou a commencé.

— On dirait une danse guerrière, lance Philippe Despasse, le gouverneur.

— C'est exact, dit, en souriant, le prêtre blanc.

Il s'adresse au petit groupe que forment le gouverneur, le secrétaire général, Charles Forestier, et quelques hauts fonctionnaires qui assistent au spectacle.

Ils ont fait des kilomètres, à travers la brousse, pour arriver dans ce village retiré.

Abrités sous leurs casques coloniaux, dans leurs longs shorts blancs, ils n'ont pas l'air ravis d'être là.

Il fait très chaud. Il n'y a rien à boire.

Le chef de la tribu des Jovo observe la danse, lui aussi. Il s'est brièvement avancé à l'arrière des jeeps, a salué le gouverneur et a fait retraite sur le seuil de sa case, à l'ombre, sans y inviter personne.

Le gouverneur s'est calmé quand le prêtre lui a montré le totem de bois sculpté à l'entrée de la case. Le nez du totem est cassé. C'est signe de deuil.

Peut-être est-ce pour cela que la tribu ne s'est pas déplacée vers la ville, vers Nouméa, que le chef s'est entêté, qu'il a voulu que la répétition ait lieu sur place, ici, à Bouraïl. Le gouverneur est méfiant. Il faut absolument que la population canaque participe, par leur intermédiaire, à la grande fête que l'on organise, à Nouméa, pour l'arrivée du ministre des Territoires d'Outre-Mer. C'est ce qu'il a clairement signifié à ses subordonnés.

Pour convaincre chacun de l'effort à faire, Philippe Despasse a donc accepté de se déplacer lui-même, avec sa fidèle escorte, dans ce village retiré.

Pendant que la jeep roulait dans la poussière, Charles Forestier lui a dit, un mouchoir sur la bouche, qu'il était de leur devoir de lâcher du lest en ce moment et le gouverneur a acquiescé. Le problème des Réserves est loin d'être résolu, le ministre n'apporte guère de solution dans ce domaine.

Philippe Despasse soupire. Il va perdre son titre, pour « lâcher du lest » ! Il ne sera plus gouverneur, mais haut-commissaire, la Nouvelle-Calédonie ne sera plus une colonie, mais un territoire d'outre-mer. C'est ce glissement des mots qui attriste le plus Philippe Despasse. Que la réalité du pouvoir lui échappe peu à peu lui paraît de moindre importance.

Mais, en contrepartie, il veut que le grand bal qu'il organise dans sa résidence sur la mer, le dernier « Bal du Gouverneur » soit le plus fastueux de tous.

— « Bal du Haut-Commissaire » ! ou pis « Bal du président de l'Assemblée territoriale » ! Vous vous rendez compte, ça n'a plus aucune gueule, soupire-t-il vers Charles Forestier qui s'incline d'un air obtus.

— Pardon ? demande-t-il avec ébahissement, surpris du regard hostile qu'il provoque en retour.

L'esprit de sérieux de Charles Forestier a toujours irrité le gouverneur. En ce moment, il passe les bornes. Comme s'il était responsable, à lui seul, des décrets d'application qui viennent d'être votés à Paris !

— Et les Demur ? enchaîne le gouverneur à voix basse.

— Le point douloureux a été abordé et réglé, lui répond, précis, Charles Forestier. Les Demur sont conviés au bal mais ils prétex-

teront un ennui de dernière minute. *Le Résurgent* les emmènera le matin de l'arrivée du ministre. Ils se croiseront sans que le ministre ait à leur être confronté, comme il l'a exigé.

Le gouverneur hoche la tête, tristement ; il aimait bien Philippe Demur, ce poète maladroit, ce proscrit, ce concussionnaire...

Les regrets du gouverneur s'arrêtent là. Il suit maintenant d'un œil amusé les efforts que fait un de ses subordonnés pour ne pas perdre contenance.

— Peut-être va-t-il s'évanouir, glisse-t-il à l'oreille de son voisin.

Le malheureux se tient moins raide que les autres, il s'évente avec son casque mais le remet rapidement sur sa tête, devant le regard méprisant de tous. Il bredouille :

— Ils auraient pu trouver mieux qu'une danse guerrière. Comme danse de bienvenue, c'est réussi.

Et c'est vrai que c'est effrayant, que les gestes des danseurs semblent tous meurtriers.

Le prêtre soupire et explique, avec calme, que c'est la plus ancienne danse de l'île.

— ... la plus belle. Elle célèbre la fécondation des femmes par les totems.

Un petit rire surpris passe dans le groupe mais le prêtre enchaîne, sans y prêter attention :

— ... le rôle du père s'effaçait devant celui de l'ancêtre utérin ou du totem qui, seuls, pouvaient féconder la femme.

— A quoi servait le mari ? s'esclaffe alors quelqu'un.

— A une simple fonction de fortificateur du germe, explique le prêtre avec une patience têtue.

Le gouverneur fait taire les rires et s'adresse gravement au prêtre.

— Vous faites du beau travail, mon Père. Nous sommes tous conscients de la lourde tâche de l'Église.

Le prêtre s'incline brièvement, radouci :

— Depuis l'arrivée de notre Mission, nous essayons, avec difficulté, de remettre de l'ordre dans leurs liens familiaux. Mais je sais bien que, malgré leur présence à l'église le dimanche, ils continuent d'adresser des offrandes et même, qui sait, des sacrifices, aux symboles de leurs ancêtres, les totems.

Chacun prend l'air navré ou songeur tandis que la danse continue, impitoyable sous le soleil déclinant.

Charles Forestier, brusquement, n'y tient plus et entraîne le prêtre, un peu à l'écart.

— Vous m'en avez trouvé un ? demande-t-il, anxieux.

Le prêtre sourit, d'un air de connivence, et hoche la tête, un doigt sur les lèvres.

— Je saurai vous remercier, murmure Charles Forestier dont le visage s'éclaire... « Un cagou, un cagou, pense-t-il avec satisfaction, ça tombe bien, Benoît ne pourra plus m'en vouloir ! »

Sur un signe du prêtre, on apporte bientôt à Charles Forestier un drôle d'animal à larges plumes. C'est un oiseau très rare, témoin d'une espèce disparue.

« C'est un oiseau qui ne vole pas et qui aboie comme un chiot. J'en veux un, j'en veux un, trouve-m'en un, papa », le supplie Benoît depuis des mois. Il va être fou de joie, pense Charles Forestier, tandis que la danse semble s'arrêter pour s'élancer de plus belle. Il revoit le visage étonné de son fils quand la gifle l'a atteint. Il chasse cette image.

Il caresse les plumes de l'oiseau qui aboie sa crainte bruyamment et mêle ses jappements aux tam-tams inlassables des Jovo.

16

— Maman m'a raconté que la première femme qui a mis le pied en Nouvelle-Calédonie était déguisée en homme. Elle était commis aux vivres sur *La Recherche*, tu sais, le vaisseau-amiral de l'expédition de D'Entrecasteaux. Elle avait dû se travestir pour se faire engager : elle portait des pantalons, se serrait la poitrine comme une nonne et provoquait en duel ceux qui avaient des soupçons. C'est elle qui a débarqué la première sur la Grande-Terre, à cause de ses fonctions, pour chercher des approvisionnements pour l'équipage. Elle s'appelait Louise Girardin. Tu te rends compte, la première femme blanche à fouler le sol calédonien avait abjuré son sexe et se faisait appeler Louis, c'est une drôle d'histoire, non ?

— En effet, dit Isabelle qui pense à autre chose.

Elle se demande une fois de plus pourquoi ses parents ont l'air si peu contents de partir, pourquoi elle a surpris sa mère les yeux rougis de larmes.

Le babil de Théa continue et Isabelle la laisse faire. Elle sait bien qu'il s'agit pour Théa de gommer la science de Marianne sur le Château d'Eau. Elle lui en laisse le temps.

Elles se sont arrêtées devant la grille des Forestier pour se dire au revoir mais Théa la retient par le bras et chuchote malicieusement :

— Tu sais, je ne t'ai pas raconté, j'ai vu Jean-Baptiste.

Isabelle, dont le cœur se serre, rétorque que ça n'a rien de nouveau.

Mais Théa secoue la tête.

— Tu ne comprends pas. Chez lui... dans sa chambre !

Elle a l'air gai, ses yeux se plissent d'un fou rire complice. Isabelle n'a pas envie d'entendre la suite.

— Je vois. Tu as bien fait de te décider. Tant mieux.

Théa saute de joie sur place.

— Mais non, tu ne vois rien ! Il ne s'est rien passé. J'avais tout combiné, je me suis bien amusée, je...

— Tais-toi !

Isabelle la coupe brutalement et ses sourcils s'arquent d'animosité.

— Ne me raconte rien. De toute façon, tu mentirais, un peu au moins. Et puis, ça ne me regarde plus...

Elle s'éloigne, laissant Théa stupéfaite. Elle se retourne et ajoute le plus calmement possible, malgré la douleur dans sa poitrine, ses mains moites, ses jambes qui flanchent :

— ... Tu devrais le voir plus souvent, Théa.

Théa crie de rage, de colère, tape du pied.

— Mais qu'est-ce que tu as ? Qu'est-ce que je t'ai fait ? Pourquoi es-tu si méchante ? Oui, c'est ça, va-t'en, va-t'en, disparais !

Isabelle se redresse un peu, en s'éloignant. Elle soupire. Elle se sent comme une sainte pacifiée.

17

Théa regarde les mains de sa mère qui n'en finissent pas d'aligner dans son assiette, en un dessin sans cesse transformé, les graines brunes d'une papaye qui collent à ses doigts.

Le dîner est terminé. La place de Benoît reste vide. Marie répond par monosyllabes à Charles que l'inquiétude rend plaintif.

Elle n'est pas mécontente qu'il souffre un peu. Benoît tient sa vengeance. « Mais pourvu qu'il ne les recolle pas dans une école religieuse, pense Marie. J'ai eu assez de mal à les en sortir. »

Il l'en menace régulièrement. Il dit que les travers de leur caractère s'estompaient à l'ombre des coiffes blanches. Marie, sur leur passage, tire plus fort sur son décolleté, roule des hanches, rien n'y fait. Les coiffes s'inclinent bien bas, en un remerciement obséquieux à l'obole que Charles obtient pour elles des finances publiques.

Le téléphone sonne, qui fait toujours sursauter Rosalie, et la voilà vite de retour pour annoncer que le gouverneur demande monsieur. Charles se lève en regardant sa montre d'un air surpris. Ils ne se sont pas quittés de la journée, que peut-il y avoir de nouveau ?

— Mon fils, pense-t-il avec effroi.

Le visage de Théa, captif somnambule des moindres mouvements autour d'elle, l'accompagne jusqu'au téléphone.

Elle ne pense rien, elle ne sent rien qu'une pesanteur brûlante depuis que Isabelle l'a clairement rejetée dans les bras de Jean-Baptiste. « Elle n'aime plus les secrets, elle ne m'aime plus... » Théa soupire sans y croire. Elle essayait vainement d'aviver sa douleur

pour la préciser. Tout se brouille. Elle se rappelle la peau de Jean-Baptiste, son ventre, au-dessus du sien, la fougère dans la main habile de Marianne et les coups reçus avec tant de langueur.

Elle soupire encore et les lèvres de sa mère se mettent à bouger, oui c'est ça, elle lui parle de sa nouvelle robe.

— ... mais elle me plaît moins, maintenant qu'elle est terminée. Qu'est-ce que tu penses des volants ? Ceux que j'ai rajoutés sur les hanches ?

Elle insiste, elle veut vraiment savoir !

Théa n'arrive plus à trier les bruits, les sons, le sens des mots, son père aussi parle en même temps. Mais au gouverneur, de l'ordre rétabli au Nickel.

— ... Soyez sans inquiétude, ils ont repris le travail, je me le suis fait confirmer.

La tête de Théa se tourne à nouveau vers Marie qui s'impatiente :

— Théa, tu m'écoutes ?

Oui, mais elle maîtrise mal le sang qui afflue à ses oreilles, ses tempes, ses joues quand le gardien du sémaphore, « ... ce personnage douteux », devient l'objet de la conversation entre le gouverneur et son père.

— ... le circonvenir, le faire renvoyer, bien sûr, à la moindre faute professionnelle. J'y veillerai.

Théa fait un effort immense pour calmer sa poitrine, gonflée de sanglots mystérieux.

Son père bouge. Il revient vers la table, énorme, il faut lever les yeux pour le voir complètement, il parle du Bal du Gouverneur, jeudi, Marie doit y être belle...

Les yeux de sa mère disent maintenant à Théa une telle tendresse, une telle inquiétude de son silence, qu'elle se jette à l'eau, remue les mâchoires, la langue et tout est normal :

— Elle est très réussie, ta robe. N'enlève pas les volants.

Marie se détend et pose une main sur celle de Théa. Elle lui murmure, complice, comme à une femme :

— Je te la prêterai.

C'en est trop pour Théa, elle crie que non, qu'elle est bien trop jeune, que la robe ne lui irait pas.

— Bien trop jeune !

Elle renverse sa chaise, en se dressant devant eux.
Elle emporte l'image embuée de ces deux personnes qui restent là à la regarder sans comprendre.
Un homme et une femme, interdits, muets.
Elle crie encore une fois qu'elle est une enfant, leur enfant.

*

Marie, une cigarette à la main, lit avec application un livre arrivé le matin même de France, commandé par ses soins. Elle n'arrive pas à fixer son attention, malgré le plaisir qu'elle s'en promettait. Devant elle, près de ses jambes repliées, le cendrier est plein de longs mégots qui se consument, chassant quelques rares moustiques.
Elle est seule dans ce salon entouré de nuit. Rosalie est allée se coucher. Théa s'est enfuie dans sa chambre.
Charles, dans la pièce à côté, joue sur un tempo de plus en plus rapide un air de Fats Waller, lui semble-t-il. En tout cas, ce dont elle est sûre, c'est qu'il essaie de tuer, ainsi, les heures et son inquiétude de l'absence de Benoît.
Marie relit pour la troisième fois la même page de *la Cantatrice chauve* et se demande pourquoi Paris lui fait un tel succès. Elle se dit que si elle y était, par une sorte d'osmose avec l'air du temps, elle comprendrait...
Les plaisirs culturels sont si rares à Nouméa. Même les livres subissent parfois un sort étrange. *Le Deuxième Sexe* de mademoiselle Simone de Beauvoir, envoyé de France par une amie enthousiaste, avait disparu, mystérieusement, de sa table de nuit. Impossible de remettre la main sur cet ouvrage qu'elle n'avait pas eu le temps d'entamer. Charles ne se rappelait même pas l'avoir vu. Quant à son libraire qui en avait commandé une dizaine, il les attendait toujours. Le colis semblait bloqué à la poste, sous des prétextes incompréhensibles.
Marie se replonge, soucieuse, dans la pièce d'Eugène Ionesco qu'elle cache, en son absence, depuis cet incident. A tout hasard.
Un bruit, comme une présence imperceptible, lui fait lever les yeux. Benoît, jambes écartées, mains sur les hanches, sale comme un vagabond, pose devant elle. Un masque étrange recouvre son

visage et le fait ressembler à un extraterrestre. Il l'enlève en souriant de toutes ses dents et le lui tend d'un air important. Il dit qu'il l'a volé pour elle aux ouvriers du Nickel.

Marie n'en veut pas. Elle essaie de lui cacher qu'elle a eu peur, mais c'est clair qu'il le devine, qu'il le désire, et qu'il aime ça. Il lui pose rudement une main sur les lèvres et parle à sa place :

— C'est à cette heure que tu rentres, tu n'as pas faim, d'où viens-tu ?

Quand elle ne se débat plus, il enlève sa main et regarde pensivement le rouge à lèvres qui en marque la paume.

— Je viens de voir Théa sur le rebord de sa fenêtre. Elle n'a pas daigné me parler. Elle a l'air de compter les étoiles.

Marie dit alors ce qu'il attendait, le cœur battant :

— Ton père est très inquiet..., très malheureux aussi.

Benoît rythme un instant, le doigt en l'air, les cascades nerveuses du piano et lance avec une évidente coquetterie :

— On dirait, en effet...

Et il rit, comme un appel, haut, clair, effronté. La musique s'arrête aussitôt. La porte s'ouvre sur la silhouette de Charles Forestier qui prononce avec bonheur le nom de son fils.

— Benoît !...

Il ne se retourne pas vers son père. Marie le voit se redresser, se tendre imperceptiblement. Il fixe sa mère, avec des yeux absents, son visage d'enfant se fige dans une expression où la cruauté l'emporte sur l'inquiétude.

Charles a disparu quelques secondes et se cadre à nouveau dans la porte. Il tient à la main une cage qui semble contenir un oiseau.

Il fait un pas vers Benoît qui bondit en arrière et le fixe avec férocité :

— J'ai peur de toi, pour toujours tu entends, n'approche pas ! Pour toujours !

Charles s'est arrêté et lève vers son fils la cage comme une offrande suppliante. Il parle d'une voix cassée :

— Plus jamais, je te le jure, plus jamais.

Marie hésite à rire de leur dialogue mais son époux, le bras tendu, immobile, l'émeut. Elle le trouve beau de braver le ridicule pour reconquérir son fils. Elle sent sa gorge se contracter, malgré elle.

Benoît fait un pas vers son père puis recule de nouveau. Il désigne l'oiseau avec autorité.

— C'est un cagou ?

Charles fait un signe d'assentiment lamentable.

— C'est introuvable, fait la voix nette de Benoît. Tu l'as payé cher ?

— Sûrement, dit Charles, si triste. Il est à toi.

Il esquisse un pas et Benoît lui ordonne, sans plus aucune crainte :

— N'avance pas !

Marie se désintéresse d'eux. Elle les voit maintenant comme deux clowns, deux pantins, deux soldats de plomb qu'une main imbécile déplacerait d'avant en arrière sur un échiquier.

Elle se lève, ils ne la regardent pas, tout entiers tendus l'un vers l'autre.

Aucun regard ne la suit quand elle traverse le salon vers les escaliers.

Elle entend Benoît dire avec la douceur hypocrite des dompteurs :

— Libère-le. Ouvre sa cage. Là, sur la fenêtre... s'il te plaît, papa.

Elle ne se retourne pas quand les pas de Charles s'approchent de la nuit qui entre par la fenêtre.

Elle pense, pauvre oiseau, qui ne sait pas voler, pauvre cagou, il va se faire dévorer par les chiens, ou mourir de solitude. Et puis elle n'y pense plus.

Elle s'arrête devant la chambre de Théa. Il n'y a pas de lumière sous la porte. Peut-être dort-elle. « Tant mieux, pense Marie tendrement, il y a si longtemps que je ne l'ai pas regardée dormir. »

*

Théa est perchée sur le rebord de sa fenêtre, dans sa chambre obscure. Son visage est levé vers le haut de la colline, vers le sémaphore dont le phare tournant l'illumine d'une violente clarté.

A chaque fois que le faisceau revient balayer son visage, l'onde de lumière la pénètre jusqu'au fond des prunelles. Elle s'emploie à les maintenir, offertes, sans ciller.

Elle ne tourne pas la tête vers les coups discrets frappés à sa porte.

— Entre. N'allume pas, maman.

Elle a suivi, depuis le fond du couloir, les pas hésitants de Marie. Elle écarquille davantage les yeux et pense que le sémaphore la ronge, la dévore.

Marie s'approche et lève sa main en ombre devant les yeux de Théa dont le visage se détend un peu.

— Tu n'es pas malade, mon chéri ?

— Je pète de santé.

Marie retire sa main, aussitôt, frappée par la laideur agressive de l'expression.

Le même manège recommence, avec l'écarquillement des yeux de Théa qu'accompagne la grimace béante de ses mâchoires écartées. Le bref faisceau y pénètre, dessinant, au fond du larynx, une glotte bien rose.

— Idiote ! dit la voix de Marie qui s'éloigne.

— Attends ! A quoi ça sert, un sémaphore ?

Théa ne joue plus. Marie revient sur ses pas.

— Je ne sais pas. A guider les bateaux avec des signaux, je crois...

— Des signaux de silence ?

Marie s'est accoudée, face à la nuit.

— Chut !... Tu entends ? Est-ce que tu sais écouter ? Tous ces grillons, les craquements au sommet des pins colonnaires, le vent dans les flamboyants, on voudrait s'en remplir la tête, les oreilles, pour ne rien oublier, ne rien perdre...

— Perdre ou gagner. Perdre ou gagner. Toujours, toujours !

La voix de Théa ricane, mauvaise, et Marie sent ses joues s'empourprer, mais elle se reprend vite.

— Qu'est-ce qu'il y a, Théa ? Tu as du chagrin ?

Elle met la tête de Théa sur son épaule et la berce doucement de son chant complice.

« Théa, Théa, t'es à qui ?
Théa, Théa, t'es à moi. »

Quand elle était une toute petite fille, Théa l'obligeait souvent à chanter ce refrain rapide qu'elle terminait elle-même. L'enfant criait : « A toi, à toi », et s'abattait sur la poitrine de sa mère, en riant de bonheur.

Mais ce soir, sa voix bondit dans le noir, implorante.

— Tais-toi. Tu me fais peur, Maman... Je me déteste, je suis tellement, tellement lâche.

— Toi, mon intrépide, ma petite folle ?

Théa la retient, la serre, se cache dans son cou, la hume. Marie n'aime pas ce contact animal. Elle est vaguement dégoûtée de sentir contre elle les seins légers de sa fille. « On n'a pas de mère ! Jamais une caresse, jamais un baiser », clame parfois Benoît qui pourtant n'en manque pas, lui.

— Ne bouge pas, maman. J'aimerais tellement arriver à être blonde et bleue comme Isabelle, comme toi.

— Bleue ? s'étonne Marie.

— Les yeux, serre-moi.

— Écoute, Théa, dit Marie prosaïque : blonde, avec de l'eau oxygénée, tu pourras y arriver, bien que je ne te le conseille pas, mais bleue...

— Et tout le reste, bredouilla Théa, redoublant de sanglots.

Marie s'attendrit un peu.

— Qu'est-ce que je peux faire, ma petite fille, pour calmer ce tourment ?

Théa se redresse brusquement, repousse sa mère à bout de bras, la fixe et ordonne d'une voix égarée :

— Je veux le peigne qui retient tes cheveux.

— J'en ai un autre pareil. Je te le donnerai demain.

— Non, crie l'impérieuse enfant. C'est celui-là que je veux. Tout de suite !

Marie réprime un bâillement. Elle voudrait s'en aller. Elle s'exécute nonchalamment. « Qu'on en finisse », pense-t-elle. Ses cheveux blonds retombent lourdement sur ses épaules. Théa la fixe avec intensité. Elle ne prend même pas le peigne que Marie lui tend. Elle a un rire heureux, un rire triomphant qui s'étrangle vite.

Là-bas, dans le dos de Théa, la fenêtre d'Isabelle s'est refermée, le carré lumineux effacé. Théa parle avec calme à présent, comme si c'était elle qui devait protéger sa mère.

— Dis-le moi, à moi. Où tu vas le matin avec Flèche d'Azur ? Tu galopes sur quelle plage ? Il n'y a pas de bruit, pas de vent ?

Et la mer et les vagues, on ne les entend pas ? Pas un souffle ? Personne ?

Marie sent son cœur s'arrêter. « Encore ! Que sait-elle ? Qu'a-t-elle deviné ? » pense-t-elle très vite. Elle tremble de crainte et de bonheur. Le plus léger soupçon ravive son désir, donne un peu de réalité à sa passion trouble, obstinée, qu'elle n'ose pas nommer. « Demain, demain, se dit-elle avec force, je trouverai un moyen, n'importe lequel. Il faudra bien qu'il se découvre, qu'il me touche, qu'il me prenne dans ses bras. »

C'est elle maintenant qui, pour se masquer, serre sa fille dans ses bras.

Elle n'écoute plus Théa qui continue de murmurer sa litanie douloureuse.

— ... les sabots de Flèche d'Azur, la mer les efface toujours ?

Marie se répète, farouche : « Demain, demain. » Elle se dit qu'on doit pouvoir mourir de désir, s'évanouir... Oui, en tout cas s'évanouir ! Et sa résolution nouvelle la transporte.

— Regarde, Théa ! dit-elle dans un sursaut joyeux, ils sont réconciliés.

Là-bas, au fond du jardin, Charles et Benoît promènent, main dans la main, leurs silhouettes claires.

— Ils doivent chercher le cagou échappé ! s'amuse Marie. Théa, regarde-les !

Mais Théa ne bouge pas. Marie sent contre sa poitrine le corps alourdi de sommeil de sa longue petite fille.

Il lui faut alors la coucher, reprendre souffle, elle est si lourde, la border et sortir en oubliant de la regarder dormir.

18

Le petit déjeuner est servi sur la véranda. La tonnelle croule de bougainvillées, en pleine floraison violette et rose.

Il se joue, dans l'air blanc du matin, un drame en forme d'attente que Théa voudrait prolonger à l'infini. Marie n'est pas rentrée. « Moi, je sais où elle est, je sais où elle est... » Mais les lèvres de Théa bien sûr, restent closes.

Elle hume, avec sensualité, toutes les odeurs qui montent : la terre, les fleurs, le café brûlant. Elle s'obstine, méthodique, à enlever quelques miettes de tartines, prisonnières des smocks de sa robe. Yeux baissés, elle peut ainsi, sans qu'il s'en aperçoive, suivre le trajet des chaussures blanches, immaculées, de son père. Il va et vient sur le dallage carrelé de la véranda. Sous le pli impeccable des pantalons, que ne casse même pas l'angle du genou, un lacet de ses chaussures se dénoue peu à peu. Il souligne, dans sa danse, la nervosité de Charles Forestier.

Il s'accoude à la balustrade et, une fois de plus, il vérifie l'heure avec effarement, une fois de plus, il se fige, en vain, au bruit d'une voiture que ralentissent les tournants escarpés de la Colline aux Oiseaux.

Une abnégation voluptueuse envahit Théa. Elle se sent prête à tout pour protéger sa mère, la sauver.

Rosalie revient et elle confirme, au sourcil interrogateur de Charles, que la quatre-chevaux de Marie ne démarre pas, que

Bambo est en train de la réparer, et que c'est sans doute pour cela qu'elle a emprunté la voiture de monsieur.

Charles se détourne avec colère vers l'entrée du jardin où nulle Marie n'apparaît. Cette brusque volte-face envoie voler dans l'air une zébrure liquide. Le café retombe sur son pantalon et s'y incruste, en une longue traînée brune. Il peste et fracasse sa tasse contre la balustrade.

Rosalie se précipite vers lui, dans un rire silencieux, et s'emploie, à genoux, avec un peu d'eau chaude, à diluer la tache perfide. Une auréole subsiste. Rosalie jure qu'elle va disparaître.

Charles, raide, visage fermé, suit le travail des mains habiles de Rosalie, qui ramasse les débris de porcelaine.

Théa ne risque pas un geste pour l'aider, témoin statufié de tous ces signes prémonitoires, sur le théâtre du drame.

Benoît fait diversion. On entend sa cavalcade dans les escaliers. Petit lutin blond, il surgit, ébouriffé, dans un pyjama aussi bleu que ses yeux. Il se précipite sur son petit déjeuner.

— Bonjour. J'ai pas classe. Je vais faire les courses avec maman... Où est-elle ? Elle dort encore ?

Et il pousse un cri.

Théa vient de lui administrer, dans les tibias, un coup de pied d'une telle violence que les larmes lui montent aux yeux.

— Tu es dingue ou quoi ?

Mais la fautive se cache, mystérieuse, derrière la nappe lisse de ses cheveux.

— Où est maman ? insiste-t-il furieux.

Théa ne dira rien, même sous la torture.

Elle entend alors, comme dans un rêve, la voix de son père énoncer, avec une évidence résignée :

— Elle doit galoper au Cercle, une fois de plus !

Le tonnerre en éclatant n'aurait pas fait plus de bruit. Théa n'en croit pas ses oreilles : la conversation la plus prosaïque s'engage entre Benoît et Charles. Le premier vante les plaisirs de l'équitation matinale, le second renchérit mais continue de maugréer qu'il va être en retard au bureau.

— J'ai besoin de ma voiture, elle le sait bien quand même !

— Pour une fois, vas-y à pied, dit Benoît pour l'agacer.

Charles ne se fâche pas. Il s'essaie même à l'humour.

— Tu pourrais, aussi bien, me suggérer d'emprunter le vélo de Théa, pendant que j'y suis. J'imagine la tête de mon planton à l'entrée du Palais !

Ils rient tous les deux, complices grimaçants.

Théa se sent vaguement nauséeuse, la tête bourdonnante, vidée, dépossédée. Mais elle refuse encore, de toutes ses forces, de croire à l'anéantissement de son lien secret avec sa mère. Elle se répète : « La plage, la plage, il reste la plage... »

On entend alors le cliquetis caractéristique de la Citroën qui passe la grille du jardin. Marie est au volant.

Théa et Benoît sautent sur leurs pieds.

Charles leur crie avec violence de se rasseoir. Il a l'air furibond. Les enfants obtempèrent. Benoît, frappé enfin par quelque chose d'excessif dans la réaction de son père, se tourne vers Théa pour quêter une explication.

Elle ne la lui donne pas, reprise par l'imminence du drame.

Marie descend de voiture, monte les marches de la véranda, s'avance vers eux.

Théa se rassure, elle ne s'était pas trompée. Il y a de nouveau dans l'air quelque chose de fatal.

Marie porte une robe jaune, légère, transparente, qu'on ne lui connaît pas. Ses yeux brillent fiévreusement. Elle est étonnamment pâle, si pâle et si décoiffée. Par le vent, peut-être. « Mais il n'y en a pas, pas un souffle », se murmure Théa.

Elle est si belle, si rayonnante, qu'ils la regardent tous avec admiration. Elle tend à Charles ses clés de voiture et parle calmement.

— Excuse-moi, Charles. Vous avez bien fait de ne pas m'attendre.

Elle se tourne ensuite vers Rosalie, à qui elle confie ses bottes et son costume de cheval.

— Prends-en soin, Rosalie. Il est sale et très déchiré. Je suis tombée.

Le cœur de Théa fait un bond dans sa poitrine.

— Rassieds-toi, hurle Charles.

Mais Théa court déjà vers sa mère.

— Tu t'es fait mal, maman? Où? Montre-moi?

Marie remonte sa robe sur une cuisse meurtrie, tuméfiée.

Elle repousse Théa et marche vers son mari, l'enlace.

— J'ai faim, murmure-t-elle, qu'est-ce qu'il y a de bon?

Elle reste contre lui et on voit bien qu'il ne sait pas quelle contenance prendre. Le ventre de Marie, sous la soie légère, colle au sien. Il pose une main sur sa hanche, il la repousse doucement, d'une voix troublée :

— Voyons, Marie...

Benoît, dans leur dos, claironne tout ce qu'il vient d'engouffrer.

— Tartines, miel, goyaves, papayes.

Marie prend place près de lui. Charles suit tous ses gestes, subjugué par le mouvement de ses jambes, sous la transparence jaune. Il surprend le regard de Théa posé sur lui. Il se ressaisit et gronde, sans conviction.

— Tu es très en retard. Qu'est-ce qui s'est passé?

Marie boit, à longs traits, les yeux fermés, un jus d'orange qui lui humecte encore les lèvres, quand elle parle.

— Je suis tombée en galopant sur la plage.

Elle ajoute, après un très léger silence qui ressemble à une décision :

— ... mais le docteur Royan a dit que ce n'était pas grave.

Charles en reste stupéfié.

— Ils ont appelé le docteur Royan, au Cercle, pour une égratignure?

Marie évite son regard.

— Il passait par là et je m'étais évanouie.

— Évanouie! crient Charles et Benoît dans un même élan de crainte.

Théa ne dit rien. Elle se sent étrangement calme, aux aguets, comme embusquée derrière les mots de Marie.

Charles s'est rapprochée de Marie. Il lui caresse le front, les cheveux, comme à une petite fille.

— Excuse-moi, ma chérie, je ne m'étais pas rendu compte du danger... Tu as eu vraiment mal, alors?

Marie sourit lentement sous leurs regards à tous, ses joues pâles

s'empourprent. Elle le sent, elle tente de chasser du revers de sa main le sang qui afflue.

Chacun des mots qu'elle prononce exalte Théa, l'envahit de volupté complice.

— Non. J'ai eu plus peur que mal. Flèche d'Azur s'était emballé. J'ai eu si peur que j'ai perdu connaissance, avant le choc il me semble... Quand je me suis réveillée, je... je ne me rappelle pas bien.

Charles s'est ressaisi. Un nouveau coup d'œil à sa montre, un nouveau baiser à sa femme et il se hâte vers sa voiture.

— A ce soir. Je ne rentre pas déjeuner. Repose-toi, Marie.

Dès qu'il a disparu, Benoît ne se contient plus, à cent lieues de ce qui préoccupe Théa.

— C'est son anniversaire demain. Tu n'as pas oublié, maman ? On va lui acheter ses cadeaux ?

— Bien sûr, dit Marie gaiement. File te préparer. Tu viens avec nous Théa ?

— Non, j'ai cours tous les matins.

Une fois de plus, Marie semble avoir oublié, mais Théa s'en fiche. Elles sont seules maintenant, autour de la table. Il faut savoir.

— Maman ?

De son joli geste habituel, Marie roule ses cheveux en torsade au sommet de sa tête. Ils tiennent ainsi, par miracle. Elle ne répond pas. Elle a l'air rêveuse.

— Maman, insiste Théa à voix basse, tu t'étais endormie sur ton cheval ? A cause du balancement de Flèche d'Azur ?

Marie la regarde, étonnée.

— Qu'est-ce que tu dis ? Pourquoi chuchotes-tu ? Comment ça endormie ? Quel balancement ? Je ne comprends rien à ce que tu racontes.

Elle se désintéresse de Théa, elle passe sa main, haut sous sa robe, tout au long de sa cuisse meurtrie. Elle ferme les yeux. Elle dit :

— C'est brûlant, encore.

Théa entend les chocs sourds de son cœur mais aussi les pas de Benoît qui revient en courant.

Marie ouvre les yeux sur lui, des yeux clairs, bleus, si fiers tout à coup. Des yeux qui disent en même temps que ses lèvres :

— Qu'il est beau, mon fils !

La main preste de Théa saisit son cartable. Quelquefois, elle ne peut pas faire face à la jalousie. Elle ne sait pas quoi en faire quand il s'agit de Benoît.

19

Il se passe à peine quelque chose quand Théa arrive en courant dans la cour du Collège. Un groupe de filles, autour de Marianne, s'arrêtent, peu à peu, de parler à son approche. Certaines la regardent avec curiosité, d'autres se détournent dès que Marianne ouvre la bouche.

— Alors, ta mère va mieux ?

Théa est étonnée, mais fière qu'il soit arrivé à sa mère un accident digne de leur intérêt.

— Oui. Comment le sais-tu ?

Gilberte Montignac, une petite rousse insipide, pousse Isabelle du coude et fait la maligne.

— Ta mère est un personnage si important !...

Isabelle, visage fuyant, dessine du bout de sa ballerine un demi-cercle insistant dans la poussière de la cour.

La cloche sonne, tout le monde se met en marche. Isabelle aussi, qui n'a pas encore regardé Théa. « Elle s'arrête avant le vingtième pas », compte, tout bas, Théa, « quinze, seize, dix-sept... ». Isabelle crie, alors, sans se retourner, avec une fureur comique.

— Eh bien, Théa Forestier, avance ! Tu ne vas pas rester plantée là, toute la sainte journée.

L'aile noire qui planait s'enfuit et Théa la rattrape en courant. Elle s'accroche au bras d'Isabelle.

— J'ai gagné ! J'avais parié que tu m'appellerais avant la fenêtre du proviseur.

Isabelle se dégage, avec mauvaise humeur.

*

Benoît et Marie, les « blonds et bleus » comme les appelle Théa, parcourent avec animation les stands du Maréva. Ils sont déjà chargés de cadeaux. L'étal de paréos retient l'attention de Marie, ce qui arrange bien Benoît. Il lorgne la vendeuse avec admiration. Son soutien-gorge rouge, sous un chemisier de nylon transparent, lui paraît du meilleur effet. Il penche la tête, plisse les yeux.

— On voit sans voir, ça n'est pas désagréable, dit-il.

— De quoi parles-tu ? demande Marie, occupée à comparer des maillots.

Benoît se concentre sur des mots inaudibles, pointe brusquement vers la vendeuse un doigt triomphant et déclame à haute voix :

— « Que ces vains ornements, que ces voiles me pèsent ! » Phèdre, c'est dans Phèdre, Théa me l'a récité.

La vendeuse ne semble pas subjuguée par sa science. Elle fixe Marie sans gentillesse. Ses gestes sont brusques pour étaler devant sa cliente des bermudas, des shorts, des slips de bain. Elle s'éloigne vite. Elle retourne discuter un peu plus loin avec une collègue.

« Elle a décidément de bien jolis seins, même de loin », constate Benoît. Mais sa mère le tire de sa rêverie.

— Lequel lui plaira le plus à ton avis ? Aide-moi à choisir, voyons. Le noir à fleurs jaunes ou le vert et bleu ?

Vraiment, Benoît n'en sait rien. Il remarque que les deux vendeuses suivent l'indécision de Marie avec hostilité et des rires rentrés.

Marie interpelle la vendeuse aux seins rouges :

— Mademoiselle ! J'hésite entre ces deux-là !

Elle lève dans chacune de ses mains deux maillots d'homme, très différents.

La vendeuse, sans même se déplacer, lui parle de loin, avec ironie, en vérifiant le rouge assorti de ses ongles.

— Prenez les deux... ça peut toujours vous servir !

Sa collègue se détourne, en s'esclaffant. Benoît trouve leur gaieté communicative. Il rit avec elles. Pas longtemps. Les mains de Marie sont retombées, crispées sur les deux maillots qu'elle ne lâche pas.

Il lève les yeux sur elle, étonné. Elle reprend sa respiration avec difficulté, mais ses mains tremblent toujours, Benoît le voit bien. Elle dévisage les péronnelles, elle leur parle d'une voix glaciale, comme quand elle joue à être la femme d'un haut fonctionnaire.

— Je vais effectivement prendre les deux. Par ailleurs, mademoiselle, j'aimerais avoir votre nom et vos références.

La vendeuse ne semble pas intimidée, ni inquiète. Elle décroche une petite plaque, pendue à son chemisier et la lance, désinvolte, sur les maillots devant Marie.

Benoît trouve le geste habile, certes, mais très grossier. Il n'est pas le seul. L'altercation a attiré quelques clients. On sent que la vendeuse est contente d'avoir un public pour envoyer sa dernière réplique.

— Voilà ! Et pour payer, vous avez toujours la signature de votre mari ? Vous permettez que je vérifie, à mon tour ?

Les clients s'éloignent, surpris, indignés, Benoît ne sait que faire. Il voit que Marie s'est piqué le doigt avec le fermoir de la plaque d'identification de la vendeuse. Un peu de sang a taché un des maillots de bain. Normalement, ce maillot-là au moins, il faudrait le prendre. Mais Marie n'est plus là, c'est gênant. Il lui faut ramasser tous les cadeaux qu'elle a oubliés et courir derrière elle. Pas assez vite.

— Pauvre petit !

Bang ! La voix compatissante de la vendeuse aux seins rouges vient de l'atteindre entre les omoplates.

*

Sous prétexte de réviser sa composition de récitation, Théa est rentrée directement du collège, laissant Isabelle, Marianne et les autres se diriger vers la Baie des Citrons.

Elle mâche, méthodique, les germes de blé que Rosalie vient de lui servir dans l'office et qu'impose Marie pour sa croissance. C'est elle-même aujourd'hui qui les a réclamés. Rosalie s'étonne encore de n'avoir pas eu à livrer la bataille quotidienne, pour les lui faire avaler.

A leur grande surprise, Benoît et Marie rentrent plus tôt que prévu. Eux aussi semblent s'être privés de plage. Rosalie les aide à cacher les cadeaux d'anniversaire de Charles. Elle les emporte dans sa propre chambre pour plus de sûreté.

Ils se retrouvent tous les trois, autour de la table, et Rosalie, en passant les plats, anime une conversation languissante.

Le téléphone sonne et Théa va décrocher.

— Allô...

— Qu'est-ce que c'est que cette histoire de bouche-à-bouche ? siffle la voix de Charles Forestier. Tu t'es donnée en spectacle sur la plage ? Je suis encore rouge de honte de ce que j'ai entendu. Il t'a déshabillée ?

— Papa, dit Théa très vite.

Il y a un silence dans l'appareil. Elle entend la respiration courte de son père et sa voix de nouveau, sèche, coléreuse :

— Passe-moi ta mère, voyons.

Marie traverse la salle à manger d'un pas rapide et arrache le récepteur que Théa lui tend, sans un mot.

Elle se tourne un peu, vers le mur.

— Allô ! Allô ! aboie-t-il.

— Oui, Charles.

On entend des éclats, des silences, Marie éloigne un peu l'écouteur.

Théa se rassied près de son frère. Il lui demande, d'une voix au timbre très haut perché, comme lorsqu'il était plus jeune, ce qu'elle a choisi de réciter, finalement, cet après-midi. Elle le regarde avec lassitude. Elle n'est pas dupe

— On ne choisit pas, tu le sais bien.

— On en reparlera plus tard, ce n'est pas le moment. Ne t'inquiète pas, dit Marie, avant de raccrocher.

— C'est vrai, je le savais, dit Benoît, perplexe.

Théa hausse les épaules.

Tous les trois se sont remis à manger et suivent des yeux la seule cible mobile dans la pièce : Rosalie, qui monte lourdement les escaliers. Elle porte les bottes de Marie et son costume de cheval. Sous leurs regards fixes, elle croit à une question.

— Recousu, lavé, il est comme neuf ! Pas une trace !

Pas un remerciement non plus. Marie acquiesce brièvement et se détourne.

Benoît s'est mis à chantonner.

— C'est faux, lui dit Marie qui pense à autre chose.

— Comment peux-tu le savoir ? Tu n'as aucun sens musical, je crois de mon devoir de te le rappeler.

Personne ne rit. Sans hostilité. Tout est calme, mou. La force, l'énergie de ces trois personnes s'est réfugiée ailleurs.

*

Des élèves ont aidé Mlle Fraisse à pousser son bureau sur le côté. Ainsi, l'estrade paraît plus vaste et va servir de scène aux récitantes. L'une après l'autre, elles viendront y concourir pour le prix de récitation.

Une grande animation règne dans la classe. Les collégiennes ont toute latitude pour mettre en scène leur poème. Elles ont donc apporté, à cet effet, des masques, des fleurs, des accessoires de toute sorte qu'elles exhibent, comparent ou cachent jalousement dans leurs cartables.

Mlle Fraisse ne porte plus ses chaussettes blanches. Ses pieds sont laids, rouges et gonflés. Une longue cicatrice blanchâtre encercle l'une de ses chevilles. Les fillettes n'y prêtent aucune attention, tout excitées par la compétition à venir. Mlle Fraisse surprend le regard insistant de Théa sur ses sandales et cache ses jambes derrière son bureau. Elle se plonge dans un registre. Quand elle relève les yeux, le visage de Théa exprime une telle pitié qu'elle voudrait la gifler. Elle dit seulement, très vite :

— Théa Forestier, au tableau. C'est vous qui allez commencer.

— Zut, dit Théa, entre ses dents.

Isabelle l'accompagne d'un pâle sourire d'encouragement. Sur l'instigation de Marianne, un mot circule et les filles s'esclaffent derrière leurs pupitres. Quand Isabelle lit, à son tour, les mots sur le papier, elle dit : « Non ! » avec violence, plusieurs fois.

— Chut ! Chut ! font les élèves autour d'elle.

— C'est un jeu, rien d'autre, lui chuchote Marianne, derrière elle.

Le silence s'installe, peu à peu, tandis que Théa choisit, dans une

urne, un petit papier, plié en quatre. Elle le tend à Mlle Fraisse qui lit à haute voix :

— Tirade d'Hermione — Andromaque — Acte IV — Scène V. Où sont vos accessoires ?

— Je n'en ai pas.

— Libre à vous, dit Mlle Fraisse, en se croisant les bras. Nous vous écoutons, ajoute-t-elle sévèrement.

> *« Je ne t'ai point aimé, cruel ? qu'ai-je donc fait ?*
> *J'ai dédaigné pour toi les vœux de tous nos princes ;*
> *Je t'ai cherché moi-même au fond de tes provinces ;*
> *J'y suis encor malgré tes infidélités,*
> *Et malgré... »*

Les mots coulent, atones, monocordes, et l'attention de chacune se relâcherait si le mot « infidélités » ne venait pas raviver quelques gloussements, parmi les spectatrices. Marianne, à l'insu du professeur, retourne sa chaise et s'y assied à califourchon, comme le fait d'ordinaire Théa. L'exemple est donné et très vite la classe entière n'est plus qu'une armée de cavalières.

Isabelle lève le doigt pour les dénoncer. Mlle Fraisse s'y oppose, sans conviction :

— Asseyez-vous correctement. Vous n'êtes pas à cheval !

Ce dernier mot redouble le chahut et l'hilarité générale. Personne n'obéit. Théa, indifférente, continue de psalmodier :

> *« Je leur ai commandé de cacher mon injure ;*
> *J'attendais en secret le retour d'un parjure ;*
> *J'ai cru que tôt ou tard, à ton devoir rendu,*
> *Tu me rapporterais un cœur qui m'était... »*

Elle ne trouve plus la suite. Elle vient de découvrir les cavalières.

— Qui m'était dû ! Qui m'était dû ! souffle Isabelle, les yeux farouches.

Théa la fixe d'un regard absent et semble questionner sa mémoire.

> *« ... un cœur qui m'était dû ? »*

Elle s'arrête de nouveau. Marianne a sorti de son cartable une cravache et fouette le bois de sa monture imaginaire. Théa s'efforce de ne pas la voir et capte à nouveau les mots qu'articulent les lèvres silencieuses d'Isabelle. Elle reprend :

« Je t'aimais inconstant,... »

— Qu'aurais-je fait fidèle ! hurle la salle en chœur.

— Assez, assez ! crie le professeur interloqué.

Rien n'y fait. Les galops, les rires, les chahuts redoublent.

Soudain la voix de Marianne, fausse, doucereuse, charmeuse, claironne derrière son pupitre relevé :

— Docteur ! Docteur ! Au secours ! A moi !

Et elle se laisse tomber, dans le ventre de son pupitre, en feignant un évanouissement qui suscite des applaudissements frénétiques.

— Docteur, cher docteur ! reprennent quelques élèves en joignant les mains.

La voisine de Marianne tire sur son pull et se dénude l'épaule.

Théa, inlassable, poursuit :

« Achevez votre hymen, j'y consens. Mais du moins
Ne forcez pas mes yeux d'en être les témoins. »

On entend des cris différents dans la classe. Isabelle, d'un bras violent, martèle le pupitre sur la tête de Marianne. On tente de l'arrêter. Du sang perle au front de Marianne. Quelqu'un s'affole.

— Cette fois, il faut vraiment un docteur !

Là-bas, sur l'estrade, petite silhouette immobile, Théa s'est assise et continue d'ânonner la longue douleur d'Hermione.

Des coups, ou de ces alexandrins qui s'écoulent comme autant de blessures, le professeur ne sait pas à quoi il faut d'abord mettre un terme.

*

Dans la salle de retenue, il n'y a pas de surveillant. On y purge sa peine de son plein gré. C'est la règle. Isabelle y est presque seule. La cloche sonne et les rares pénitentes qui l'entourent rangent leurs cartables. Elle ne le fait pas puisqu'il lui faut tirer encore une heure. Le professeur l'a décidé ainsi : deux heures de retenue. Isabelle ne lui en veut pas. Elles ont échangé un regard de reconnaissance. Isabelle sent encore la violence de sa poigne sur son épaule, ses doigts glacés sur son avant-bras, arrêtant le pupitre vengeur, là les marques encore en témoignent, bénédiction, bénédiction, sinon je l'aurais tuée, cette Marianne, pense Isabelle, oui, tuée, fracassé ce crâne où se loge leur trahison commune. Théa, là-bas, balbutiant ses lambeaux de texte, sa tirade préférée, exsangue, ses yeux aveuglés buvant sur mon visage la force de tenir, confiante, horreur, tant de confiance, sœur, sœur, disait-elle la nuit, chuchoté, pas de mot plus tendre, sœur, la main dans la main, les rivières ennemies, Théa, Théa, laisse-moi, je m'en vais, j'ai pris le sexe d'un garçon dans mon ventre, je l'ai serré, j'en veux encore, je ne veux pas de toi, ni des caresses qu'on ne s'est pas faites, jamais un geste jamais, avec les autres filles parfois les jeux de mains, mais pas toi, pas toi, oh ! ma Théa, éloigne-toi, ma trop grave enfance, ma brune pâle, ma gagneuse de billes.

Dans la tête d'Isabelle, il y a tout ce chagrin confus et des larmes coulent, floc, floc, sur sa main qui dessine. Mais ce qu'elle trace est gai. C'est un bateau griffonné, toujours le même. C'est *Le Résurgent* qui s'en va, ses cheminées, sa fumée, son étrave qui ouvre la mer, les vagues paisibles, porteuses, le soleil, la liberté, le bateau loin, qui passe le récif de corail et...

Sa main s'étale brusque, à plat, large, cache le dessin, tous les dessins à naître. Théa est entrée sans bruit, s'est assise à côté d'elle et fait radio-vipère :

— J'ai réussi à finir la tirade. Marianne a une grosse bosse, sûrement une cicatrice, mais dans les cheveux. Elle est à l'infirmerie. Quelle bagarre, après ton départ, à coups de règles et d'encriers ! J'ai continué jusqu'au bout. Mlle Fraisse est venue s'asseoir à côté de moi sur l'estrade. Il faut dire que mes jambes étaient devenues molles. Elle ne cherchait plus à calmer le raffut. Elle avait mis son bras autour de mes épaules. Elle a récité les derniers vers d'Her-

mione avec moi. Quand la cloche a sonné, tout le monde a filé. Elle n'enlevait pas son bras. Elle regardait devant elle. Elle m'a dit qu'elle m'aimait bien. Qu'elle ne m'en voulait pas. Elle a touché la cicatrice autour de ses chevilles et elle a dit quelque chose que je n'ai pas compris. Elle a dit : « Vous aviez raison. Il ne fallait pas la cacher. » Je me suis dégagée et je suis partie. Je voulais te voir.

Tout en parlant, Théa dessine sur le papier les contours de la main d'Isabelle. Elles lèvent les yeux, toutes les deux, quand un groupe de garçons s'approche de la fenêtre. Parmi eux, il y a Jean-Baptiste. L'un d'eux s'étonne, prend une mine d'ahuri et lève un doigt moqueur :

« *Chimène, qui l'eût dit ?*
Rodrigue, qui l'eût cru ?
Les cracks en retenue ! »

Eux aussi sortent du concours de récitation.

Elles se regardent et éclatent de rire. C'est un moment de grâce, de bonheur à mourir. Théa semble réconciliée avec la terre entière. Le groupe s'éloigne. Théa rappelle Jean-Baptiste. Elle va vers lui, vers la fenêtre.

Isabelle soulève sa main, dont les contours, sur son cahier, continuent d'encercler les bateaux. Elle enlève la page du cahier, la froisse, la jette, la reprend, la déchire.

Elle voit que Théa et Jean-Baptiste se parlent longuement ; avec les yeux aussi, c'est la première fois. Elle ouvre et referme sa main plusieurs fois. Elle s'est surprise à faire ce geste souvent, ces derniers temps. Son père fait de même avant de faire craquer les articulations de ses doigts. Les siennes ne craquent pas. Elle se trouve de jolies mains.

20

Les jambes ballantes, Benoît fait le guet assis sur la fenêtre du salon. Il remonte de temps en temps ses chaussettes, sur ses mollets maigres.

Derrière lui, la salle à manger a pris un air de fête. Rosalie étrenne un tablier blanc, orné de dentelles, qu'elle refuse à l'ordinaire de porter. On entend le crissement de ses jupons sous sa large robe à fleurs. Elle vérifie, d'un œil sévère, l'éclat des cristaux sur la table.

Marie et Théa finissent de décorer la rampe des escaliers avec des branches de flamboyants. Il y a des fleurs partout, jusque sur les pales du ventilateur, au-dessus de la table. Quand on entend la grille du jardin cliqueter, Benoît se dresse sur ses avant-bras.

— Le voilà ! En piste...

Une cavalcade de bruits et de rires feutrés s'ensuit. Les lumières de la maison s'éteignent toutes ensemble. Marie a baissé le commutateur d'un coup sec. Benoît rejoint, à la hâte, sa place dans l'office. Il est le premier de la file indienne. Marie et Théa s'emparent des cadeaux, lui tendent les siens et attendent, cachées, complices, de faire à Charles un accueil digne de son anniversaire. Rosalie finit d'allumer, sur le gâteau, les quarante bougies qu'il faudra que Charles souffle avant de se mettre à table. Il en manquait trois, on ne sait pas pourquoi. Isabelle, sifflée à la hâte par Théa, est venue les tirer d'affaire. Elle n'a pas adressé la parole à Marie et s'en est allée très vite, l'air soucieux. Ses bougies ne sont pas identiques. Rosalie essaie de les camoufler au milieu des autres,

mais elles brillent davantage, dirait-on. Elles détonnent. Enfin, tant pis. « Au moins, le compte y est », murmure Rosalie.

La file indienne s'est figée dans un silence solennel, car on entend les pas de Charles qui se rapprochent sur le gravier, puis sur les dalles de la véranda.

Benoît se penche dans l'embrasure de l'office et voit la silhouette de son père se profiler dans l'entrée du salon. Charles essaie plusieurs fois d'allumer et lance un juron sonore. C'est la règle, chacun étouffe un rire complice. Ils attendent le signal de Benoît et s'époumonent en chœur ;

— Bon anniversaire !

La procession se met en marche. Les flammèches des bougies dansent sur le gâteau.

Mais quelque chose ne va pas.

Au lieu de feindre l'étonnement, d'attendre les offrandes, Charles traverse à grands pas maladroits le salon, se cogne contre un meuble, sans doute la table basse et se met à hurler sa douleur, sa colère.

— Ça suffit ! Je n'ai pas envie de jouer. Marie, viens ici immédiatement. Rallumez, c'est ridicule.

La file indienne, dans le noir, s'est immobilisée, indécise.

Les yeux de Charles se sont habitués à l'obscurité, il repousse le rempart de ses deux enfants, fait voler les cadeaux qu'on lui tend, et saisit Marie par le bras. Il l'entraîne vers les escaliers. Il crie :

— Inutile d'avancer mon anniversaire d'un jour. Tu ne feras pas l'économie d'une explication.

Marie se débat, se raccroche à la rampe, se plaint.

— Tu me fais mal. Rosalie a son jour de congé demain, c'est la seule raison. Je ne comprends pas.

La lumière jaillit tout à coup.

Rosalie, disparue aux cuisines, sanglotante, a dû la rallumer. Théa et Benoît ont le temps de voir, en haut des escaliers, la porte de la chambre paternelle se refermer sur Marie qui résiste. Elle est propulsée avec violence à l'intérieur. La porte mal fermée claque une seconde fois. On devine, nettement, des bruits de gifles, des coups, et les pleurs bientôt de Marie. Théa escalade les escaliers quatre à quatre, trébuche sur les branches de fleurs que leur lutte a saccagées, frappe de ses poings fermés contre la porte.

— Maman ! hurle Benoît à mi-hauteur des escaliers.

Théa se retourne vers lui, l'arrête d'une voix basse, qui voudrait le mordre.

— Si jamais tu t'approches de cette porte, je me jette du haut des escaliers.

Comme il continue d'avancer, elle enjambe la rampe des escaliers.

— Éloigne-toi, disparais.

Benoît se fige, rebrousse chemin, convaincu de sa détermination.

Les cris de Marie redoublent parfois. Théa se remet en place devant la porte.

Rosalie, en bas la supplie de descendre. Théa ne bouge pas. L'épouvante arrondit encore davantage la bouche ouverte, les yeux blancs de Rosalie.

*

Le corps de Marie tombe lourdement sur le parquet de bois. Elle entraîne dans sa chute la moustiquaire du lit que son bras, affolé, arrache. Elle roule sur elle-même et se retrouve prise dans la gaze sinueuse et fine de ce filet de fortune.

Charles ne sait plus sur quelle partie de sa prisonnière il cogne, courbé, de ses mains puissantes.

— Que je sache tout, au moins, pour faire face !

C'est elle qui se relève, s'extrait de cette maladroite protection, qui fait face.

— Il n'y a rien à dire. Je me suis évanouie en galopant sur la plage, je te l'ai dit ce matin. Il passait par là. Il a été obligé de me rameñer au Cercle, sur son cheval. C'est tout.

Elle lève ses avant-bras fins, pour protéger son visage des coups qui recommencent à pleuvoir.

— Qu'est-ce que ça veut dire : « Il passait par là ? » Tu te moques de moi ? Je me suis renseigné. Je n'ai pas eu à attendre. Tu connais cette ville. Tout le monde est au courant.

Marie suffoque de colère.

Elle lui dit qu'il délire. Mais c'est elle qui se sent délirer, tout à coup. De reconnaissance. Que quelqu'un mette enfin des mots sur la violence de son désir pour cet homme, Michel Royan qui

jamais, jamais, n'avait voulu poser ses mains sur elle. A la première maladie, à la première auscultation, au premier contact de ses mains, il avait tout compris, tout refusé. Plus jamais. Seuls ses yeux, sur elle, la brûlaient. De loin, de trop loin. Jusqu'à ce matin.

— Calme-toi, Charles ! Il m'a vue tomber au bout de la plage. Il n'a pu que me venir en aide. N'importe qui l'aurait fait. Je ne bougeais plus, je m'étais évanouie ! C'est un pur hasard ! Tu deviens fou, Charles.

— C'est toi qui deviens folle si tu crois me faire avaler ça. S'il n'était pas avec toi, il te suivait alors ?

Une vague de délices submerge Marie qui prend tout son temps pour savourer cette idée. Cet espoir fou qui jamais ne prenait corps et la faisait sangloter de rage, de déception, renaît brutalement, de la bouche même de son mari. Ils se sont dit si peu de mots, ce matin. Mais ses mains, ses lèvres, il n'y a plus de doute. Elle se laisse aller à rêver, elle joue, perversement, avec sa certitude nouvelle .

— Il me suivait... tu crois ? Mais pourquoi ?...

Une nouvelle gifle la ramène à la réalité de cette petite ville provinciale, perdue aux antipodes de l'Europe, aux confins de l'océan Pacifique.

— Vrai ou faux, je ne te pardonnerai jamais les affronts que j'ai subis aujourd'hui, les sourires, les ricanements. Mes ennemis se gaussent. Mes amis s'apitoient. Le gouverneur exige que tu ne remettes plus les pieds sur un étrier, hurle-t-il, triomphant.

— Tout ce que tu veux, mais pas ça !

Elle est tombée à genoux devant lui, s'accroche à ses hanches. Il l'empoigne par les cheveux, lève vers lui son visage gémissant et scande :

— Jamais ! Plus jamais, tu entends. Plus de cheval entre tes cuisses, plus rien !

Elle sanglote maintenant, rassurée. Il dérive vers une fureur amoureuse qu'elle reconnaît. Ils n'iront pas plus loin que ce jeu violent dont elle sait les règles par cœur.

— Cesse de pleurer. Tu es affreuse, rouge, ton nez brille, repoudre-toi, fais quelque chose, crache-t-il, en la maintenant à genoux. Essaie de donner le change au moins ; de cacher toute cette

laideur. Laisse-moi ! Ne me touche pas. Le regard que cette ville ose maintenant porter sur nous me salit, me dégoûte !

Pauvre Charles et son rêve fitzgéraldien qui s'écroule.

« Pauvre Charles », pense-t-elle, en le plaignant de tout son cœur.

— Charles, je t'en prie... sois gentil, je me sens si seule quelquefois... fais-moi un enfant.

Elle presse ses lèvres sur l'étoffe de son pantalon, cherche un bouton avec ses dents, passe sa langue dans la fente du pantalon. Il la repousse. Il voit d'en haut sa langue tendue, suppliante, qui lèche le tissu rugueux et souffle un air chaud sur son ventre.

— N'essaie pas de m'amadouer. C'est hors de question.

— ... un enfant, un tout petit, chuchote Marie, que je pourrai serrer contre moi. Les autres sont trop grands maintenant. J'ai du mal à les aimer.

Il étouffe, d'une main puissante, le visage de Marie contre son ventre. Il sent son crâne chaud dans la broussaille de ses cheveux.

— De toute façon, siffle-t-il avec une sorte de volupté désespérée, tu n'as jamais aimé que toi.

Il la repousse encore, feint de ne pas voir qu'elle glisse une main dans son pantalon, serre ses tempes à lui faire mal. Il veut entendre ses cris. Il les entend. Elle s'applique, fidèlement, au jeu réparateur.

— Je t'en supplie, je t'en supplie, arrête, tu me fais mal.

— Oui, c'est ça, supplie-moi, ma salope, ma chevaucheuse, ma belle pute.

Il l'étale brusquement en arrière sur les plis neigeux de la moustiquaire.

— ... ouvre-toi, ouvre-toi tout entière avec tes deux mains, reste comme ça que je te voie bien offerte, ta bouche maintenant, large...

*

Théa est restée, longtemps, le front appuyé contre leur porte. Il est marqué de rouge, quand elle se retourne. Le dessin d'un bord

de la serrure s'est incrusté sur l'arête de son nez. Elle descend les escaliers, les yeux calmes. Des rameaux de fleurs ornent encore la rampe, qu'elle effleure par habitude. Mais elle n'a besoin d'aucune aide. Ses jambes d'automate ne trébuchent pas, évitent les branches retombées, la conduisent fidèlement dans la cuisine où elle sait trouver son frère.

Il ne lève même pas les yeux sur elle, quand elle passe la porte de l'office. Il trône comme un prince déchu, devant une table recouverte d'une toile cirée, légèrement grasse, huileuse dirait-on. Le gâteau d'anniversaire de leur père, devant lui, est largement entamé. Benoît, la bouche pleine, invite d'un geste Théa à se joindre à lui.

Elle suit, fascinée, le travail de ses mâchoires.

Quand il a fini une nouvelle part, il lève son assiette vide vers Rosalie, réfugiée à l'autre bout de la pièce et qui sanglote en silence, le visage caché dans son tablier blanc. Comme elle ne le voit pas, il frappe, de son poing léger, sur la table. Théa s'assied et observe avec détachement le manège de son frère. Il frappe et frappe encore, avec l'assiette de porcelaine vide. Rosalie précipite vers lui la masse de son corps affolé. La lame du couteau pénètre plusieurs fois dans le corps mou, brun, du gâteau au chocolat. Quelques bougies de plus s'ajoutent aux autres et viennent joncher le bord du plat. Les petites dents blanches de Benoît se révèlent de terribles machines broyeuses.

A chaque fois qu'il avale, qu'il déglutit, Théa voit la gorge blanche de son frère se tendre, palpiter.

A chaque fois, elle sent l'empreinte de la porte raviver ses contours brûlants sur son front. Quand il ne reste plus rien que des bougies éparses, quand le gâteau n'est plus qu'une tache noirâtre dans l'ovale du plat de porcelaine, Benoît essuie ses lèvres mousseuses, remercie Rosalie d'un hochement de tête et sort dans la nuit du jardin.

Rosalie s'apprête à le suivre.

— J'y vais, dit Théa.

Elle ne le rejoint pas. Le bruit des gravillons la guide dans la nuit. Au détour d'un sentier, elle voit sa silhouette enfantine arrêtée près de l'arbre à caoutchouc. Il s'y appuie d'une main et se courbe sur ses racines, qu'il semble découvrir. Il ne se relève pas.

Un bruit discret, répété, alerte Théa qui s'approche. Benoît vomit et vomit encore. Il expulse de longues giclées de chocolat, très proprement, sans tacher ses chaussures, ni les jambes de son premier pantalon long qu'il étrennait pour l'anniversaire de son père. Les vomissures dessinent sur le sol une tache étoilée de plus en plus sombre. Une dernière contraction ne provoque plus qu'un hoquet stérile.

— Benoît ! appelle Théa doucement.

Elle a ouvert au fond du jardin une arrivée d'eau et l'attend, sans crainte. Il s'approche et se laisse faire doucement quand elle lui lave le visage, les mains. Il respire mieux.

Ils font quelques pas, sous la lune et les étoiles, il y en a tant et tant, et s'accoudent à la balustrade de fer forgé qui sépare leur jardin du parc du Gouverneur.

— On n'a pas retrouvé le cagou ? demande Théa.

Benoît fait signe que non et sourit, pour la première fois depuis longtemps.

Il appuie son profil sur l'épaule de Théa. Il a l'air calme, apaisé, presque heureux.

En contrebas, autour d'un petit feu d'herbes sèches, les bagnards jouent avec leurs vigiles poilus qu'ils caressent ou épouillent, on ne distingue pas bien.

L'un d'eux désigne à son compagnon leurs ombres accoudées. Ils reprennent leurs bêches et se remettent à frapper la terre. Sans doute leur faut-il terminer un travail avant le jour.

Benoît s'est redressé et leur parle d'une voix que l'étonnement brise et relance tour à tour.

— Mais qu'est-ce que vous faites ? Vous voyez mal à cause de la nuit. On est des enfants ! Arrêtez, reposez-vous. On s'en fout, nous.

Les chiens s'avancent, en contrebas. Les éclats angoissés dans la voix de Benoît se font plus impérieux, plus stridents encore. Mais ils n'arrêtent pas le mouvement monotone des outils dans la terre.

— On s'en fout ! On s'en fout !

Les chiens grondent sans conviction et repartent vers leurs prisonniers.

Théa enserre Benoît par la taille, embrasse son cou, la naissance de ses cheveux. Il se tourne vers elle mais, à contre-jour, son visage n'est qu'un trou noir gémissant.

— Dis-le-leur, Théa, qu'on s'en fout ! Dis-le-leur, toi !

Il sent un peu le vomi. Elle le prend dans ses bras tendrement. Elle aime son odeur. Elle s'en imprègne.

21

Un demi-cercle de soleil rougeoie à l'horizon.

La pointe sablonneuse de l'Anse Vata avance en presqu'île dans la mer. Elle n'offre, pour rejoindre la Baie des Citrons, qu'un chemin de rocailles qui monte au Rocher à la Voile.

Le cheval de Michel Royan s'y engage souplement.

La falaise, sculptée par la mer, ressemble à une pirogue voguant toutes voiles déployées. C'est aussi le « lieu du dernier adieu », le meilleur endroit pour voir disparaître de l'Anse du Styx les paquebots en route vers la métropole.

Le Rocher à la Voile se dresse entre l'Anse Vata et la Baie des Citrons, plus abritée, plus calme. Michel Royan a mis pied à terre. Il attend que s'élance, au loin devant lui, la silhouette de Flèche d'Azur et de sa cavalière.

Le ruban de sable est désert. Il regarde sa montre puis le soleil montant. Il est sûr pourtant du rendez-vous qu'elle lui a murmuré hier quand il l'a ramenée au Cercle sur son cheval.

Il se trouble au souvenir du léger cri qu'elle a poussé quand leurs deux corps se sont séparés, sous le regard curieux des lads, venus l'aider à mettre pied à terre.

Une forte odeur de coprah le pousse à tourner la tête vers le large. Un paquebot mixte, *L'Alizé*, remporte sa cargaison vers l'Australie. Les dockers du port ne l'ont déchargé qu'à moitié. Une longue transaction les a fait s'atteler aux barils d'huile de coco qui alourdissent visiblement la cale du vieux rafiot.

Il dresse l'oreille. Son cheval, attaché à un arbuste, loin derrière lui, hennit longuement. Il se cabre et ses sabots retombent sur la rocaille, dans un bruit cliquetant. Michel Royan voit aussitôt s'éclipser deux silhouettes d'hommes. Leurs chevaux, embusqués dans des taillis, caracolent maintenant en contrebas, emportant les deux fuyards.

Il ne les connaît pas. Ils espéraient sans doute être seuls et sa présence a dû provoquer leur fuite.

En revenant vers sa monture, il se reproche sa crainte, il se promet de lutter contre d'absurdes soupçons.

Il flatte l'encolure de son cheval dont les yeux blancs, affolés, le font rire. « Encore plus couard que moi, celui-là... » Michel Royan essaie de mettre un pied à l'étrier et se retrouve par terre. Une ruade nouvelle l'a surpris. A la seconde tentative, il sent la selle glisser légèrement et s'apprête à en resserrer la sangle.

En se baissant sous les flancs de l'animal affolé, il découvre le ruban de cuir largement cisaillé. Pas de doute, le travail vient juste d'être fait.

Il se tourne vers le chemin de rocailles qui borde les falaises et qu'il ne peut éviter d'emprunter pour retourner au Cercle hippique. Il caresse le chanfrein de son cheval. Quel plongeon il vient d'éviter !

Il l'entraîne doucement par la bride et essaie de mettre de l'ordre dans ses pensées. Les contremaîtres du Nickel ont-ils décidé de passer à l'action ? Il n'arrive pas à croire que la guerre feutrée qui l'oppose aux potentats de l'île puisse prendre ce tour hideux. Non, deux ivrognes sans doute, en mal de canaillerie.

Tout à coup, il pense à Marie Forestier. Il se rappelle, contre son dos, pendant le trajet de retour, les lèvres de cette femme, ses dents. Il est sûr qu'on l'a empêchée de venir, qu'elle serait là, si elle le pouvait. Évanouie... Il sourit.

Il sort maintenant du chemin de rocailles et s'engage, suivi de son cheval, vers la mer. Un bain leur fera du bien à l'un comme à l'autre.

... De là à imaginer Charles Forestier payant des criminels,

non, impossible. Où est cette femme ? Il y a longtemps qu'il a repéré son manège. Il y a longtemps qu'il se promettait de la renverser dans les vagues. Il se sent sourdement amoureux et s'en agace. Une petite bourgeoise au regard ardent, rien d'autre...

La plage de la Baie des Citrons est lisse. La mer a déjà effacé les sabots des fuyards. Elle s'engouffre, çà et là, dans de larges trous qu'elle nivelle peu à peu. Des abris de feux pour une pêche de nuit ? Une nouvelle mesure administrative vient pourtant de les interdire. Des morceaux de bois calcinés refluent dans le ressac d'une vague. Pas de doute : les pêcheurs se moquent du danger. « Bon Dieu, pourquoi n'est-elle pas là ? » Il s'étonne de respirer mal et découvre, au contact de l'eau, les muscles de son corps étonnamment raidis.

*

Théa soulève la tête de Benoît qui dort dans le creux de son épaule.

Elle n'arrive pas à y croire : ce bruit dans le jardin, sous sa fenêtre, elle le reconnaît. Elle ne l'attendait plus. Elle ouvre tout à fait les yeux, attentive, le souffle court : une main tente de retenir le chant grinçant du portail de fer.

Elle se dégage tout à fait de l'étreinte de son frère et s'avance vers la fenêtre. A travers les lames des jalousies, ce n'est pas Marie qu'elle aperçoit, mais une silhouette furtive qui se précise. Bambo, le jardinier, courbé en avant, porte sur son dos une hotte d'arbustes. En passant sous les fenêtres de Théa, il se fait le plus silencieux possible, s'arrête au moindre crissement des graviers, rajuste son fardeau vert et rouge.

En orientant avec habileté les treillis de bois, Théa peut le suivre des yeux jusqu'à ce qu'il disparaisse vers le fond du jardin.

Elle sursaute en se retournant.

Benoît l'immobilise du regard, l'emprisonne de ses grands yeux graves.

Elle y lit, avec stupeur, une interrogation précise, suppliante. Sans un mot, elle lui fait, de la tête, un signe négatif et se recouche près de lui. Il soupire et ses paupières se ferment. Elle s'accroche à son souffle profond, régulier, si régulier.

Dès qu'elle dort, du bleu réapparaît entre les cils de Benoît.

22

Un coup de feu retentit.

Charles Forestier et quelques policiers se tournent aussitôt dans la direction d'où il semble provenir et s'immobilisent.

Une voix lointaine annonce :

— On en a descendu un !

— Ne laissez pas échapper l'autre, crie en réponse une voix inquiète dans un haut-parleur.

Le petit groupe, autour de Charles Forestier, se déploie de nouveau et avance lentement à l'intérieur des fourrés.

Une battue en règle est organisée dans le parc du gouverneur qui monte sur les flancs de la Colline aux Oiseaux. On voit, de loin en loin, des policiers armés, le pistolet ou la carabine au poing, s'enfoncer davantage dans la partie broussailleuse du parc.

Charles Forestier ne porte pas d'arme. Le chef de la police lui en a proposé une, qu'il a refusée.

— Alors, restez en arrière, près de la route !

Charles Forestier a toisé son interlocuteur avec mépris. Le chef de la police a haussé les épaules et s'est vu dans l'obligation de l'entourer de quelques tireurs d'élite. Charles Forestier pense à l'attaque japonaise, en Indochine, le 9 mars 1945. Attaché au tronc d'un arbre devant une rangée de soldats hystériques, mis en joue par leur chef, il avait crié : « Vive la France ! » Deux, trois, quatre fois ! L'ordre de tirer n'était jamais venu. Un soldat japonais, essoufflé, avait apporté une nouvelle, incompréhensible pour lui,

qui avait volatilisé la petite troupe de ses jaunes assaillants. Il était resté des heures, ceinturé à l'arbre, avant qu'on ne l'emprisonne légalement. Avec les honneurs dus à son rang.

Une énorme masse noire s'élance vers lui en grondant. Un jeune policier tremblant met un genou à terre, vise à deux mains, longuement, et tire le plus tard possible. Le chien tombe presque à ses pieds.

Charles Forestier n'a pas bronché. Le chef de la police maugrée, contre lui, un chapelet d'injures.

Des uniformes se penchent sur le cadavre du molosse.

Charles Forestier félicite le jeune policier qui continue de trembler.

— Où avez-vous appris à tirer, mon ami ?

— A Paris, monsieur, je viens d'arriver de France.

— Gastine Renette, j'imagine, souffle, mélancolique, Charles Forestier.

L'autre ne sait visiblement pas de quoi il parle. Les beaux quartiers lui sont inconnus.

La battue est terminée. Des voix l'annoncent aux plus éloignés.

Le cadavre du premier chien que l'on ramène du fond du parc est jeté près du second. Un petit groupe se forme autour des bêtes.

— Qu'est-ce qui a bien pu leur arriver ? demande le jeune policier, à qui personne ne répond.

Le docteur Royan, en blouse blanche, essoufflé — il doit sortir de l'hôpital — se fraye un passage. On lui laisse la place, bien volontiers. Il ne salue personne. Ce n'est guère le moment, ni son habitude. Il se penche sur un des chiens, dont il essaie d'ouvrir la gueule. Les mâchoires résistent, elles semblent soudées. Il s'aide d'un petit stylet qu'il sort de sa sacoche et découvre alors une langue épaisse et noire. Une bave écumante reflue des intestins, bouillonne et s'écoule.

— C'est la rage, docteur ? demande la voix curieuse du jeune homme.

— Non, dit le docteur en se relevant. Ils ont dû avaler des feuilles et des graines de datura. Ça les rend fous de douleur. Ils attaqueraient un éléphant...

Il croise pour la première fois le regard glacé de Charles Forestier et s'arrête. Une telle haine...

— En l'occurrence, énonce une voix dans son dos, ce sont des hommes qu'ils ont attaqués. Les bagnards.

Le docteur Royan se retourne, stupéfait, vers le chef de la police, qui ne peut que confirmer, d'un air las :

— Morts. Les chiens les ont pris à la gorge et déchiquetés.

Le docteur Royan s'éloigne de Charles Forestier. Au pied d'un arbre, gisent les corps des bagnards. Après une brève vérification, il les fait recouvrir d'un drap blanc qui rougit aussitôt à leur contact.

— Quelle mort atroce ! murmure quelqu'un.

La voix naïve du jeune policier se rapproche à nouveau.

— Mais je croyais qu'on ne trouvait plus de datura autour de Nouméa ? Qu'il n'y en avait plus que du côté de Yaté ?

Michel Royan voudrait acquiescer, hurler sa rage. Il se retourne, violemment, la vérité aux lèvres, et se trouve face à face avec Charles Forestier. Ils se mesurent du regard. Au bout d'un long moment, le docteur détourne les yeux. Il laisse le vainqueur répondre.

— Le gouverneur fait défricher son parc régulièrement, mais ces arbustes repoussent un peu partout. Faites-y attention. Ils sont très toxiques.

Le jeune policier perd toute retenue et dévoile sa pensée.

— Mais ça ne peut pas être une vengeance des indigènes ? Les droits-communs sont des jaunes, pour eux. Ils sont haïs par toute la population !

Le docteur préfère s'éloigner avec le chef de la police.

— Il faut transporter les corps dans l'ambulance et creuser profond pour enterrer les chiens.

Un officier de police donne aussitôt des ordres en ce sens.

— Et puis, ajoute le docteur imperturbable, que chacun se lave les mains... si par hasard le datura repoussait au creux des paumes.

Le chef de la police cache un sourire. Le jeune policier les rejoint en courant.

— Vous ne faites pas d'enquête, chef ? Je vous assure, ces hommes étaient des boucs émissaires parfaits. Je suis sûr que...

« Non mais quelle glu, ces jeunes recrues ! » pense son supérieur, vaguement attendri.

Tout le monde s'engouffre dans les voitures.

— Montez, mon petit Duval, montez, on va en parler.

Le jeune homme prend place, ravi et étonné, près du chauffeur, dans la voiture de son chef. Il se sent vraiment le héros du jour.

Charles Forestier et le chef de la police sont installés à l'arrière. La voiture officielle démarre et précède le cortège des jeeps. L'ambulance les suit. Les voitures stoppent brutalement vers le bas de la Colline, dans un concert de freins et d'imprécations.

Théa s'est postée en travers du chemin, les bras en croix. Elle se jette sur le chauffeur, elle hurle.

— Il y a eu un accident ? Un malheur ?

Elle aperçoit son père, impassible, enfoncé dans les coussins de la voiture.

— Qui ? Qui ? crache-t-elle.

— Les bagnards. Morts, articule le chef de la police, en jetant sur le visage muet de Charles Forestier un regard surpris.

Pourquoi reste-t-il si calme, pourquoi regarde-t-il sa fille avec tant d'ironie, tant de morgue ? Il ne cille toujours pas.

— Descends, Théa, demande-t-il tout à coup.

— Excuse-moi, murmure-t-elle en sautant du marche-pied, j'ai cru que...

Elle se sent lentement rougir. Tout le monde s'en aperçoit.

— En route, ordonne Charles Forestier au chauffeur.

Le cortège s'éloigne et croise, un peu plus bas, Isabelle qui a bien du mal à pousser les deux vélos.

— Qu'est-ce qu'il se passe ? Pourquoi t'es-tu mise à courir ? demande-t-elle avec inquiétude, en rejoignant Théa. J'ai un point de côté.

— Merci, dit Théa en reprenant son vélo. J'ai eu une telle peur... C'est idiot.

Isabelle l'observe du coin de l'œil. Il faut qu'elle lui parle. Le temps presse.

— On va au Château d'Eau, Théa, je...

— Je ne peux pas. Maman m'attend, gémit Théa. Elle a besoin de moi en ce moment. Tu n'es pas fâchée ?

Isabelle ne répond pas, feint de l'être, soulagée en fait. Elle se dit avec cynisme qu'il faut qu'elle se rappelle bien tous les chagrins

que Théa lui fait, qu'elle en invente au besoin, qu'ils ne feront jamais assez d'armes, dans le cyclone qui se prépare.

— Je te siffle pour qu'on parte ensemble, au Bal du Gouverneur, ce soir ?

— Bien sûr, bien sûr, répète Théa qui piaffe d'impatience, devant le portail de son jardin.

Isabelle comprend clairement ce qu'elle veut : qu'elle s'en aille.

Elle s'éloigne, furieuse. Elle entend, comme elle le prévoyait, le cartable de Théa retomber de l'autre côté du mur, ses chaussures griffer les pierres dans son ascension clandestine.

*

La quatre-chevaux est garée au fond du garage. Marie est là, quelque part dans la maison et Théa avance, un deux trois, vers elle. Son genou saigne un peu. Elle s'est blessée en sautant le mur, mais d'arbre en arbre, furtive, elle n'imagine rien d'autre que le jeu des fantômes, le jeu de l'escalier qui grince pour contraindre sa mère à sourire.

Elle aussi a dû entendre les coups de feu. Elle doit avoir peur, réfugiée seule, recluse condamnée, dans la grande villa, face à sa douleur, à son humiliation.

Jouer, se laisser prendre, lui redonner des forces.

Elle n'entend pas venir la musique qui tout à coup lui frappe les oreilles.

Il est trop tard pour reculer.

Un disque sur le gramophone grasseye une danse espagnole au rythme rapide et langoureux.

La porte vitrée de la véranda est grande ouverte. Les pas de Théa dans le salon sont libres. Tous les meubles sont poussés sur le côté.

Sa mère, cambrée dans les bras d'un bellâtre inconnu, s'applique à suivre le rythme de la musique.

— Encore un effort, rit la voix masculine. Votre mari tient à ce que vous lui fassiez honneur, ce soir au bal. Ah ! voilà votre fille sans doute. Bonjour, mademoiselle. Et une et deux, suivez les castagnettes.

« L'escalier, atteindre l'escalier », pense Théa. Elle traverse vite, tête baissée.

— Eh bien, Théa, lance sa mère, tu pourrais dire bonjour à Ronaldo.

— 'jour.

Elle monte quatre à quatre, sans un regard. C'est difficile. Les cheveux de Marie attirent toute la lumière dans le balancement de la cadence.

En haut des escaliers, Benoît, une tartine à la main, est assis sur la dernière marche. La couverture du disque, posée sur ses genoux, semble l'intéresser au plus haut point. « Leçons de paso doble », aboie en silence « La Voix de son maître », un petit chien ridicule devant un haut-parleur.

Sans lever les yeux, Benoît replie ses jambes, pour laisser passer la hâte furieuse de Théa.

Elle entre dans la chambre de ses parents, et, sans bien savoir pourquoi, entraînée par le désordre de ses gestes, ouvre penderies et placards, fouille, dévaste. La chambre est bientôt sens dessus dessous.

— Qu'est-ce que tu cherches ?

Benoît, sur le pas de la porte, l'observe avec inquiétude.

Elle le repousse et se dirige vers la salle de bains. Elle fait subir un sort identique au grand placard de rangement où s'entassent des peignoirs en éponge et quelques affaires au rebut. Elle s'immobilise devant le costume de cavalière de Marie. Suspendu à un cintre, presque caché dans un coin de l'armoire, il lui semble qu'il bouge doucement. Son souffle s'apaise, sa colère disparaît. Elle referme, calmée, les battants à miroir de la penderie.

En se retournant, elle sursaute. Elle vient de capter sa propre image, dans la glace au-dessus du lavabo, démultipliée à l'infini d'une file indienne.

Quand elle bouge, avec précaution, vers la sortie, d'innombrables espionnes l'accompagnent, d'innombrables visages baissent leurs cils sur des yeux de voleuse.

23

Bambo et Rosalie sont perchés sur le mur de pierre qui sépare les jardins des Demur et des Forestier.

Ils ne vont plus du côté du parc du Gouverneur depuis qu'on n'entend plus les chiens. Ils se parlent d'amour et de mariage, jamais des chiens, ni de la mort des bagnards. Même au confessional, Rosalie l'a juré, elle n'en a pas parlé. Elle n'en parlera pas.

L'Église, c'est pour les mariages. C'est Bambo qui le lui a dit. Elle a compris qu'il ne plaisantait pas. Elle a bien entendu. Et la promesse et la menace.

Ce soir, l'air est doux, il fait si bon. Ils n'arrivent même pas à se quereller sur leur sujet favori. Elle essaie vaguement, pour s'amuser.

— Je t'assure, madame Marie c'est un ange du seigneur. C'était que des médisances, il lui fait des cadeaux, tous les jours, pour se faire pardonner.

Elle ajoute, pour le provoquer, qu'elle les aime comme sa famille. Alors, il soupire :

— C'est des Blancs, Rosalie, c'est des métro. C'est moi, ta famille, moi et tous les petits que je vais te faire.

Elle arrête sa main qui remonte entre ses cuisses parce que Sayana, la servante des Demur, traverse le jardin. Elle a l'air fourbe, Bambo lui tend la main pour l'aider à les rejoindre sur le mur.

— A voir ta tête, s'amuse Rosalie, je parie pour la robe de mousseline.

— Si c'était que ça ! fulmine Sayana. Une heure de repassage pour décider au dernier moment qu'ils n'iront pas au bal ! Madame a la migraine. Elle s'est couchée. Vivement qu'ils s'en aillent. C'est plus un tombeau cette maison, c'est un cimetière. J'espère que les prochains seront plus gentils...

— Et lui, c'est vrai qu'il pleure ? demande Bambo, intéressé.

— Comme une fontaine quand ça le prend. J'y comprends rien. Il a arraché toutes ses décorations sur sa veste blanche. Il m'a fallu tout recoudre. Et puis le voilà qui me réclame du datura. « Pour en finir », qu'il disait dans sa crise !

— S'il y a que ça pour l'arranger, ricane Bambo.

Rosalie le pousse du coude et Sayana murmure avec crainte :

— Je ferais pas le malin à ta place, Bambo... Ça pourrait nous faire des ennuis à tous.

Il y a un silence parce qu'un volet a claqué et qu'on entend les voix joyeuses d'Isabelle et de Sébastien.

— Y a que les enfants qui ont l'air contents de partir, enchaîne Sayana pensivement. Eux, je les regretterai... Ce bal quand même, j'aimerais bien y aller, moi, pour voir les toilettes...

Ils s'arrêtent de parler quand des portes de voitures claquent dans le lointain de la colline.

Ils sautent du mur pour aller voir, sur la route, de plus près, le passage des invités, en tenue de fête, qui roulent vers la Résidence du Gouverneur. C'est décevant. On voit mal leurs habits clairs, sur les banquettes arrière.

— Tu ne vas pas aider ta patronne à s'habiller, Rosalie ? s'étonne Sayana.

Rosalie soupire.

— Je peux plus l'approcher. Il la couve. Il ne la lâche pas une seconde. Il a même remonté la fermeture Éclair de sa robe... Oh ! regarde celle-là, elle a pris sa jupe dans la portière. Elle va être toute sale et froissée en arrivant au bal.

— C'est Mme Foulin, bien sûr ! se moque Sayana.

Ils rient et tendent l'oreille. Dans un tournant, un peu plus bas, un crissement de freins et un long klaxon protestent avec énergie.

Ils voient bientôt apparaître une vieille quatre-chevaux, en assez mauvais état, qui remonte seule, cahotante, la colline. Elle tourne

devant eux et vient se garer le long du mur d'enceinte, près du portail des Forestier. Ses phares s'éteignent.

— Qui c'est celui-là ? maugrée Rosalie avec une curiosité inquiète.

Ils plissent les yeux et attendent en vain. La portière ne s'ouvre pas.

Personne ne descend de la voiture.

*

En haut des marches de l'escalier, Théa trépigne d'impatience. Tournée vers l'office, dont la porte au rez-de-chaussée reste close, elle crie plusieurs fois.

— Rosalie ! Rosalie !

Elle ne se lasse pas de réclamer avec mauvaise humeur.

— Où as-tu encore fourré mon maillot de bain ? Rosalie !

La porte de la salle de bains s'ouvre sur le couloir dans son dos et son père passe une tête inquiète. Marie, agrippée à son cou, essaie en vain de nouer le nœud papillon de son smoking.

— Mais ne bouge pas, voyons, je n'y arrive pas.

Charles regarde, mécontent, Théa qui s'est détournée d'eux et reprend sa plainte aiguë, insistante, méchante.

— Rosalie ! Mon maillot ! Rosalie !

— Ne hurle pas ! l'interrompt son père. Il faut toujours être poli avec les domestiques.

— Pourquoi ? fulmine-t-elle avec défi.

— Parce que ce sont des domestiques.

La sentence onctueuse est tombée qui clôt le bec de Théa et fait hoqueter de rire sa mère. « Elle est bizarre, pense Théa. Elle a l'air grise. »

— Tic-tac, tic-tac, fait-elle en indiquant à Charles la montre sur son poignet.

— On y va, dit-il à son tour en riant.

Marie est sortie tout à fait dans le couloir pour se faire admirer. Elle poudre son décolleté, ses épaules rondes.

— De toute façon, Théa chérie, qu'est-ce que tu ferais de ton maillot, à neuf heures du soir ?

Elle a pris une voix de gorge, traînante, genre sirop d'orgeat.

« Elle est ivre », conclut Théa avec stupéfaction.

— Comment me trouves-tu ?

Cette voix encore.

Théa compte sous l'étranglement de la taille trois rangées de volants qui commencent trop haut sur les hanches. En revanche, un mouvement courbe dans le dos accentue avec grâce les ondulations de son corps.

— Ça te grossit, lui dit Théa, en levant vers elle des yeux froids.

Marie plonge aussitôt dans une profonde révérence, claque haut le fermoir de son sac comme des castagnettes.

— Merci ! lance-t-elle, moqueuse.

Charles se penche sur le cou de sa femme qu'il effleure.

— Ma chère amie, articule-t-il, la jalousie d'une aussi jolie petite fille, c'est le plus bel hommage rendu à ta beauté.

Théa sent des larmes d'humiliation lui piquer les yeux. Mais Marie s'esclaffe, un doigt en l'air : « Poil au nez ! » et Benoît l'appelle de leur chambre.

— Théa, je l'ai trouvé, ton maillot. Il était dans mon tiroir !

Elle peut reprendre un ton désinvolte pour leur souhaiter une bonne soirée.

— Amusez-vous bien.

En passant, une bouteille de whisky incongrue attire son regard. Elle trône bizarrement sur le rebord de la baignoire, entourée de deux verres à dents.

Elle entend sa mère lutter dans son dos, pour protéger son rouge à lèvres.

Elle referme la porte de sa chambre. Benoît la hèle aussitôt :

— Viens voir la voiture garée devant chez nous, tu ne vas pas y croire...

*

En traversant le salon, Charles suit d'un œil appréciateur la silhouette de sa femme devant lui.

— C'est vrai que cette robe te moule peut-être un peu trop, dit-il d'une voix gaie qui dément le reproche.

— Allons bon ! s'inquiète Marie tout à coup, en se passant une main sur les hanches, le ventre.

— On devine la marque de ta culotte sous le tissu, c'est...

Il ne peut continuer, Marie se penche, soulève une jambe bronzée puis l'autre dans un tourbillon de tissu.

Elle lui tend, victorieuse, un fin triangle de soie blanche qu'elle fait tourner au bout de son doigt. Ses yeux brillent de malice.

— Alors, garde-la-moi !

Il en reste interdit, l'objet à la main. Elle s'éloigne en éclatant de rire. Il fourre le slip dans sa poche et la suit dans le garage. Il se reproche de l'avoir fait boire. « Pourvu que tout se passe bien », pense-t-il en lui ouvrant la portière.

*

Leur Citroën remonte l'allée vers le portail que Bambo a laissé ouvert. Les phares dessinent dans la nuit les arbres du jardin et, là-bas, une voiture inconnue qui attend.

Ils s'en rapprochent et distinguent, au volant, une silhouette d'homme, immobile, une cigarette aux lèvres.

— C'est Jean-Baptiste ! s'écrie Marie avec une sorte de soulagement. C'est l'amoureux de Théa. Il est beau. Il est fou d'elle. Mais elle le maltraite. Le pauvre, il n'ose pas entrer.

— Ça les regarde, ne nous en mêlons pas, répond Charles... Qui est-ce ?

— Jean-Baptiste Vincent. Tu sais, les Vincent d'Hanoï. Son père était directeur de la Banque de l'Indochine. Il s'est suicidé.

— En effet, je me rappelle très bien. Il avait tout perdu au jeu, en une nuit ! Quel scandale ! Que fait son fils ici ?

— Il termine ses études. Sa mère s'est remariée à un professeur d'anglais du Collège. Ils vivent chichement.

— Et c'est ce qui le rend si timoré ? s'esclaffe Charles. On ne peut rien pour lui, en ce cas. Il fait bien de ne pas entrer.

Marie s'éloigne de lui, imperceptiblement.

— C'est drôle, Charles, lui dit-elle doucement, quelquefois, je te trouve sot.

Charles discerne, dans sa voix, les vapeurs combatives de l'alcool.

Il ne peut lui en vouloir. Il les a fait naître. Il va en avoir besoin.

Il passe à la hauteur de la quatre-chevaux et, brusquement, freine. Il descend sa vitre. Jean-Baptiste, au volant, est obligé d'en faire autant. Leurs visages sont très proches l'un de l'autre.

— Bonsoir, jeune homme.

— Bonsoir, monsieur, reprend aussitôt la belle voix courageuse de Jean-Baptiste qui se bat contre sa panique.

« Quel nez admirable ! » pense Marie sans sortir de l'ombre.

— Théa vous attend. Vous refermerez la grille, s'il vous plaît.

Et Charles Forestier accélère, ravi de cette bonne blague. Jean-Baptiste n'a rien trouvé à répondre.

Charles et Marie pleurent de rire en imitant sur le chemin du bal ses yeux stupéfaits.

*

Théa et Jean-Baptiste sont face à face dans le salon, rallumé pour l'occasion.

Théa est lovée dans un grand fauteuil et lève sur lui des yeux admiratifs pour son audace.

— Mais non, vous ne me dérangez pas du tout.

Elle parle d'une voix mondaine.

— Asseyez-vous, je vous en prie.

Jean-Baptiste, déjà assis, ne sait que faire de cette invite et dissimule de son mieux un sourire, quand elle renchérit :

— Voulez-vous une tasse de thé ?

— Et puis quoi encore ? tonne la voix de Benoît.

Ils lèvent tous les deux les yeux et Théa pousse un cri de frayeur : elle reçoit au même moment sur la tête sa robe qui vole du haut des escaliers.

Benoît s'est éclipsé mais il est clair qu'il lui indique ainsi le chemin de la décence.

Elle découvre qu'elle est en maillot, en bikini blanc, à moitié nue et que sa tenue n'est donc pas ce qu'elle devrait être en face de son visiteur.

Théa déplie aussitôt son corps gracile. Ses chevilles s'enfoncent

dans les coussins du fauteuil. Elle enfile rapidement sa robe, devant Jean-Baptiste qui détourne des yeux pudiques.

— Vous êtes belle, il y a des éternités que je ne vous ai vue, constate-t-il en regardant la nuit. Où allez-vous ?

Théa se rassied d'un bond puis ramène sa robe, d'un geste mieux contrôlé, sur ses genoux serrés.

— Il ne tenait qu'à vous, minaude-t-elle avec mauvaise foi.

Il se retourne vers elle, sans cacher sa colère.

— ... Je suis si contente, Jean-Baptiste, l'arrête-t-elle avec ferveur. Les vacances approchent et tout ce que je voulais va se réaliser. Quand j'y pense, je me sens si légère, je voudrais que tout le monde soit heureux.

Il s'est assis près d'elle sur le divan et se relève nerveusement. Elle le regarde avec une tendresse bienveillante qui ne lui convient guère.

— Je ne suis pas tout le monde, siffle-t-il... Qu'allez-vous faire pour les vacances ? enchaîne-t-il d'une voix qu'il voudrait plus désinvolte.

Elle bondit à nouveau de vitalité joyeuse et se retrouve agenouillée, dans le fauteuil.

— Je ne vous le dirai que si vous êtes très très gentil. Allez, faites-moi un sourire. Tenez, pourquoi ne viendriez-vous pas avec nous ce soir ?

Il s'empare de sa main tachée d'encre qu'elle a abandonnée exprès, lui semble-t-il, sur le rebord du fauteuil.

— Où, Grand Dieu ? Je veux bien vous accompagner au bout du monde. Je veux bien faire n'importe quoi pour que vous me pardonniez, profère-t-il avec un sombre enthousiasme.

— Vous pardonner quoi ?

Il note sa voix claire, sincère, ses yeux étonnés. Elle a l'air si loyal, si grave.

— Jean-Baptiste, écoutez-moi bien. C'est moi qui suis fautive. J'avais tout combiné l'autre jour pour que vous... pour que je... pour vous humilier. Enfin, bref, c'était méchant de ma part et je vous en demande pardon.

— Méchant ? De venir ? De vous offrir ? Je ne comprends pas. Je sais trop tout ce que ce geste devait représenter pour vous.

Elle a envie de reprendre sa main, qu'il emprisonne toujours. Sa voix se fâche :

— Décidément, vous êtes trop bête !... Cessons de nous chamailler, ajoute-t-elle plus gentiment. Nous allons être en retard au Bal du Gouverneur.

Il se détourne surpris, un peu dépité.

— Vous êtes invitée ? Pas moi...

Debout, de nouveau, dans les coussins du fauteuil, elle est aussi grande que lui.

— Mais je vous invite !

On entend le sifflement habituel qui relie les maisons, d'une fenêtre à l'autre.

— Isabelle et Sébastien sont prêts, dit Théa. Dépêchons-nous.

La joie de Jean-Baptiste en est très altérée. Elle le sent. Elle incline, cérémonieuse, devant lui son buste frêle, ses seins légers.

— Vous serez mon cavalier. D'accord ?

24

L'éclat précis des étoiles lointaines fait plus noire encore la nuit tropicale. Au bout de l'Anse Vata, le Bal du Gouverneur bat son plein sur la terrasse illuminée de sa résidence qui s'ouvre sur le long sable pâle.

Les phares des derniers arrivants esquissent parfois les poings dressés des cocotiers. Toute la gentry locale est là qui danse, boit, mange, servie par des domestiques noirs en livrée.

Le gouverneur et sa femme n'accueillent plus, à l'entrée, les retardataires. Un aboyeur les annonce. Les uniformes se mêlent aux smokings, les jupes longues tourbillonnent sous des bustes baleinés.

Les alcools s'écoulent plus vite que les petits fours. L'ivresse et les valses font tourner les têtes.

Le gouverneur ouvre le bal avec Marie Forestier. En penchant la tête en arrière, yeux mi-clos malicieux, elle lui dit qu'elle est sensible à son geste, qu'elle croit de son devoir de le remercier.

— Il y a mille façons de le faire.

La main fine du gouverneur insiste autour de la taille de Marie, descend sur ses hanches, s'y alourdit. Elle en a le souffle coupé.

Le gouverneur précise sa pensée, s'il en était besoin. Il lui dit qu'en dehors de quelques convenances à respecter, on peut tout faire avec grâce, qu'elle n'en est pas dépourvue — Dieu sait ! — qu'il faut, qu'on doit redonner à l'adultère ses lettres de noblesse.

Charles Forestier vient les interrompre à la fin de la danse. Il

remercie à son tour, s'incline devant sa femme, et lui voit les yeux brillants de larmes. Il s'émeut.

Il l'entraîne dans un tendre et savant pas de deux pour que sèche son émotion de pécheresse repentie...

L'aboyeur de service annonce maintenant l'arrivée du docteur Michel Royan. Elle ne tressaille pas. Charles lui dit plusieurs fois « mon amour » et l'exhorte à un dernier effort.

— Tu as promis, Marie.

Elle dit que c'est au-dessus de ses forces et Charles parle de son honneur, quelque part dans une phrase très longue. Elle fixe quelque chose sur le visage de son époux et ne dit plus rien. Il lui semble qu'elle voit courir, à nu, sous ses traits, une ramification de nerfs et de muscles contractés de souffrance.

Elle s'éloigne vers la balustrade pour s'y accrocher, pour respirer l'air de la nuit, l'air de la mer et, tout de suite, elle est très entourée.

Elle réclame à boire. Une vieille serveuse noire, en fendant la piste, laisse choir un plateau, ce qui fait monter les bruits et les rires. Beaucoup de messieurs l'aident à ramasser les débris de verre. Pendant ce temps, des serveurs, complices peut-être, remplissent furtivement de sandwichs et de vins deux grands sacs en papier.

Michel Royan converse avec un ami près du buffet. Il sent que l'attention de son interlocuteur lui échappe et se fixe sur quelqu'un qui approche.

Autour d'eux, les gens se figent, prennent des poses imperceptibles en tendant l'oreille.

*

Des visages et des visages d'adolescents, luisants d'eau, les cheveux lissés par la mer, suivent en face le spectacle de la fête.

Ils ont laissé leurs habits, plus loin sur le sable, et ont nagé, silencieux, jusqu'en face de la terrasse illuminée. Les mouvements habiles de leurs bras et de leurs jambes les maintiennent presque immobiles à la surface de l'eau.

Les lumières dansantes des néons confondent leurs têtes avec des vaguelettes. Les voix, les rires, la musique leur parviennent distinc-

tement, portés par l'étendue plate de l'eau. Ils sont assez près pour jouir du spectacle, assez loin pour qu'on ne les voie pas.

Depuis longtemps, Théa et Isabelle ont découvert ce stratagème et rejoignent à chaque bal des adolescents inconnus. Ce soir, leurs frères et Jean-Baptiste les accompagnent.

— Je vous l'avais bien dit, c'est d'ici qu'on voit le mieux.

— L'eau est tiède. Je ne vois pas maman.

— Si, à droite, elle danse avec le commandant du port.

— Jean-Baptiste, assez, vous me chatouillez, laissez-moi regarder.

— Que c'est drôle, le gouverneur et sa femme dansent ensemble.

— Tu as vu, on dirait que papa marche sur la pointe des pieds.

— C'est parce qu'il parle à un type plus grand que lui.

— Votre mère est belle, quand elle rit comme ça, la tête en arrière.

— Arrêtez, je vous dis.

— Tes parents ne sont pas là, Isabelle ?

— Il n'y a pas d'ailerons à l'horizon ? Il paraît que les requins reviennent sur le bord, la nuit.

— Je sors, j'en ai assez.

— Trouillard !

— Attendez, ne bougez pas. On risque de nous voir. Il y a une ombre qui s'avance le long de la plage.

— Je vois mal.

— On dirait un enfant.

Jean-Baptiste en profite, dans une brasse silencieuse, pour se rapprocher d'Isabelle. Il lui chuchote très bas :

— Vous me jurez que vous le lui avez dit ? Qu'elle est au courant de votre départ ?

— Mais oui, foutez-moi la paix, affirme-t-elle dans un murmure. Zut, dit-elle plus haut, je n'ai plus de souffle. Je veux rentrer.

— Il faut attendre que l'enfant s'en aille. Qu'est-ce qu'il fait, Bon Dieu ?

L'enfant noir s'est assis entre les racines d'un arbre, et siffle dans ses doigts, mystérieusement.

Une servante noire, en tablier blanc, pieds nus, descend bientôt les marches de la terrasse.

Elle s'enfonce dans le sable à chaque pas, lourdement chargée

des deux sacs en papier, bourrés de victuailles, qu'elle remet à l'enfant. Il s'éloigne aussitôt.

Pas la servante qui regarde vers la mer. Un silence oppressé a gagné les baigneurs. Quelqu'un éternue. La servante, sur le point de regagner la fête, aperçoit les têtes hors de l'eau et se précipite :

— Voulez-vous bien vous en aller, bande de voyous !

Elle attire, par ses cris, un petit groupe de danseurs qui s'égaillent sur le sable. Les adolescents plongent sous l'eau et s'éloignent en crawlant.

Quelques invités les pourchassent pour s'amuser le long de la plage. Mais les enfants nagent vite et bien. Les poursuivants se lassent.

La servante s'avance dans la mer, jupe relevée. Pourvu qu'ils ne la dénoncent pas ! Elle se passe de l'eau sur le visage pour se rassurer et retourne vers le bal.

*

— Vous ne dansez pas, docteur ? Ma femme est une excellente danseuse.

La voix qui interpelle porte haut et clair.

Michel Royan, en se retournant, fait tinter les glaçons de son quatrième whisky.

Il dévisage, avec intérêt, le masque livide et transparent de Charles Forestier.

— C'est un bruit qui court, en effet, répond-il poliment.

— Les bruits qui courent, monsieur, il faut les arrêter.

Michel Royan n'est pas sûr de bien comprendre mais il montre des dents qui rient : dans les sons soudain feutrés qui les entourent, il croit entendre le cliquetis de deux maladroites épées, qui se cherchent.

— Vous me suggérez de l'inviter à danser ?

— Ce n'est pas une suggestion, c'est un ordre ! aboie Charles Forestier.

Michel Royan hésite un quart de seconde à balancer au visage blême de ce fin stratège, de cet imbécile, le contenu de son verre. Autour d'eux, prudents, les gens se sont éloignés de quelques pas.

— Soit, dit brusquement le docteur Royan.

Il termine d'un trait son whisky, claque des talons ironiques et tend à Charles Forestier son verre vide, avant de s'éloigner.

Charles met du temps à se débarrasser du verre. Il ne sait trop où le poser. Il ne veut pas se retourner dans la direction des danseurs.

*

— Non, je vous en prie, non, chuchote-t-elle à sa nuque inclinée.

Mais il lui saisit déjà la main.

— ... Je dois vous gifler devant tout le monde, prévient son murmure affolé.

— Avant ou après la danse ? lui demande Michel Royan, avec une sorte d'intérêt amusé.

— Vous êtes ivre et moi aussi. Je vous en prie, laissez-moi, le supplie Marie.

— Avant ou après ? insiste-t-il plus violemment.

— Après, mumure-t-elle, pitoyable.

Il l'entraîne déjà. Ils se frayent, sans mal, un passage que chacun leur laisse, vers le centre de la piste. Ils l'occuperont, collés l'un à l'autre, pendant toute la durée de la valse.

Ils ne se parlent pas. Elle tremble si fort qu'il est obligé, presque, de la soutenir, son ventre contre le sien.

Il lui demande seulement, à plusieurs reprises, d'ouvrir les yeux.

Elle refuse. Elle ne le fait même pas quand les dernières notes décroissent et s'éteignent.

— Je vous aime, balbutie-t-elle alors. Emmenez-moi.

Il lui coupe la parole. Il articule bas, méchant, à son oreille.

— Je ne vous ai même pas désirée, pas une seconde. C'était un jeu. Tout, depuis le début.

Elle ouvre sur lui des yeux stupéfaits et, sans plus se contrôler, le gifle à toute volée.

Un sourire tendre, lent, éblouissant, dévaste alors les traits tendus de Michel Royan.

Il est entraîné, courtoisement mais avec fermeté, vers la sortie. Les gens, autour de Marie, la félicitent pour son courage.

— C'est un homme mal élevé. Il n'a eu que ce qu'il méritait !

Son mari s'approche d'elle d'un pas martial. Il a repris toute sa superbe. Elle le haïrait si elle ne sentait courir sa vengeance, sous sa robe, le long de sa cuisse.

Elle cherche des yeux le gouverneur.

Elle rit, elle réclame du champagne.

25

Ils se sont donné rendez-vous sur le port.

Isabelle, Benoît et Sébastien, les premiers arrivés, escaladent une pyramide de cageots, entassés au milieu du quai.

— C'est aujourd'hui que *Le Résurgent* devait arriver. Il a du retard, dit le petit Sébastien en scrutant, dans la nuit, l'entrée du port.

— Viens ici, tu as encore les cheveux mouillés.

Isabelle lui frotte la tête, avec énergie.

— C'est *Le Résurgent* que vous prenez pour rentrer en France ? s'exclame Benoît. Le même que nous, la dernière fois. Il a eu une avarie à Tahiti. On est resté quinze jours à Papeete. Super !

— Mais qu'est-ce qu'ils foutent ? s'énerve Isabelle, tournée vers la route. C'était bien la peine que Jean-Baptiste emprunte une bagnole.

La quatre-chevaux n'apparaît toujours pas. Sébastien se moque d'elle.

— Te voilà bien pressée d'annoncer ton départ à Théa. Il serait bien temps.

— Mais tout le monde le sait, s'étonne Benoît.

Isabelle se penche sur un cageot qu'elle éventre violemment, sans répondre. Son frère vient à son secours d'un ton sentencieux.

— Quand quelqu'un ne veut pas entendre, tu peux toujours t'esquinter à lui dire la vérité...

Isabelle se bouche le nez.

— Qu'est-ce qui pue comme ça ?

On peut voir maintenant, à l'intérieur du cageot, des fruits rouges, en décomposition.

— Les grenades, tu vois bien.

Benoît y plonge une main qui ressort écarlate, dégoulinante. Il envoie le fruit éclater sur le quai. Sébastien l'imite aussitôt, avec moins de dextérité.

— Toutes ces caisses, dit Benoît, assez fier de sa science, ce sont des « denrées périssables » destinées à l'Australie. Les dockers refusent de les charger sur les bateaux. C'est la grève.

— C'est idiot que les fruits pourrissent, regrette Isabelle, que tout irrite et surtout l'absence de Théa... Personne ne pourra en profiter.

— C'est une grève de solidarité avec les ouvriers du Nickel, explique, laconique, Benoît.

Le petit Sébastien n'arrive pas à lui cacher son admiration. A chaque essai, il lance sa grenade moins loin que lui. La dernière vient éclater derrière une caisse et dresse un clochard vociférant.

— Bon, dit Isabelle, d'un ton léger. Ils ont dû aller flirter ailleurs. Moi, je rentre.

Benoît la retient au passage.

— Comme ça, ce sera Jean-Baptiste qui lui annoncera ton départ.

Elle soutient, une seconde, son regard.

— Et alors ?

Elle frotte en s'éloignant la marque rouge laissée sur son bras.

Benoît ricane, hostile :

— Ne joue pas les naïves, Isabelle, ça ne te va pas... Tu sais ce qu'on faisait aux messagers des mauvaises nouvelles sous l'Empire romain ?

Une grenade éclate, dans son dos. Isabelle enfourche sa bicyclette et s'éloigne sans se retourner.

— Tu lui as fait de la peine, dit la voix fâchée de Sébastien, qui opte pour un silence réprobateur.

Vite repris par la curiosité, il ne peut s'empêcher de se faire demandeur :

— Dis, Benoît, qu'est-ce qu'on leur faisait, à ces messagers ?

— On leur coupait la tête !

Benoît accompagne ces mots d'un geste dramatique qui fait sursauter Sébastien.

— Pauvre Jean-Baptiste, dit-il d'une petite voix épouvantée.

Benoît hausse les épaules. Un long silence s'ensuit. Les deux garçons sont assis côte à côte, tout en haut des cageots et regardent gesticuler l'ivrogne.

Il se livre à une danse étrange. Le brouillard s'est levé. Le phare du sémaphore s'est mis en marche. A chaque fois qu'il illumine le quai, l'ivrogne essaie de saisir au passage, de prendre dans ses bras le pinceau de lumière. Il s'étreint lui-même convulsivement, retombe et se relève pour une nouvelle tentative.

— On s'en va, propose le plus jeune.

— Eh oui, confirme Benoît... Pauvre Jean-Baptiste.

Ils soupirent tous les deux, sans bouger.

*

— Non ! Non ! Non ! C'est pas vrai, vous êtes un menteur !

Théa s'agrippe à Jean-Baptiste, le martèle de coups avec une telle âpreté, une telle obstination qu'il a bien du mal à maintenir le volant de sa voiture. Elle se bat maintenant avec la portière et se jette dehors. Il ne peut que freiner de tout son poids.

Elle roule sur elle-même et court comme une démente, sur la place des Cocotiers déserte. Il la poursuit et l'entend hurler à réveiller les morts, ou, en tout cas, les pensionnaires de l'École des Sœurs.

— C'est pas vrai ! C'est pas vrai ! Elle me l'aurait dit ! Elle me dit tout ! Tout !

Il court tellement plus vite qu'elle. Il la rattrape et une lutte brutale, crachats, coups d'ongles et de genoux, s'engage entre eux. Il lui ferme la bouche d'une main qu'elle mord de toutes ses forces. Il voit ses yeux affolés. Il la maintient de tout son corps, contre un arbre.

— Elle m'a dit que vous le saviez. J'ai dû mal comprendre, je suis désolé. Son départ a dû se décider très vite. Je crois que son père a fait une... une bêtise, comme le mien. Je ne sais pas. Je ne sais plus. Je me suis peut-être trompé. Théa, je vous en prie, je vous en supplie, calmez-vous.

Il est prêt à la bercer de mots, à continuer comme ça pendant des heures. Il se rend compte que ce ne sera pas la peine.

Elle se débat moins. Il voit avec horreur dans ses yeux qu'elle est au bord de comprendre. Elle se calme peu à peu. Ses dents se desserrent sur sa paume. Elle le fixe avec des yeux éperdus. Il enlève tout doucement sa main, prêt à la bâillonner, de nouveau, au moindre cri qui ne vient pas.

Une silhouette de femme, une religieuse sans doute, est apparue à une fenêtre de l'École, en chemise de nuit, ses longs, longs cheveux visibles sur ses épaules. Elle leur crie avant de disparaître :

— J'appelle la police !

Théa continue de fixer Jean-Baptiste sans rien dire. On dirait qu'elle ne sait pas par quel côté attaquer la brutalité de la nouvelle. Elle s'applique à essayer de comprendre tout ce qu'il vient de dire. Et c'est long, cet effort. Il le lit dans ses yeux immenses. Les contours de ses lèvres ont blanchi, disparu. Ce n'est plus sa bouche, mais un trou, une fente dentue dans la chair de son visage ruisselant qui s'ouvre quand elle parle enfin, pour découvrir toute l'horreur d'une évidence.

— Ce n'est pas une blague.

— Non. Non, dit-il fermement en secouant la tête, en envoyant valser ses larmes, en se foutant éperdument de pleurer comme un veau. Non.

On entend une sirène de police dans le lointain et il l'entraîne vers sa voiture. Elle se laisse faire.

*

Dans la chambre de Jean-Baptiste, allongé sur son lit, le corps nu de Théa, éclairé par la lune, semble plus long.

Le sexe gonflé de Jean-Baptiste se fraye, entre ses cuisses écartées, un chemin qui résiste. Mais il ne ressent aucune appréhension.

Le mystère des gestes de l'amour lui est devenu familier, grâce à la sensualité d'une femme de haut fonctionnaire. Entichée de lui, de sa jeunesse, elle l'avait renvoyé, un jour, en lui disant que son habileté nouvelle l'ennuyait.

Jean-Baptiste n'en avait pas été surpris, ayant croisé, sur le che-

min détourné de sa villa, un de ses camarades de philo. Il avait aussitôt reporté ses talents sur les « grandes » du lycée Bougainville, qui ne s'en étaient jamais plaintes. Mais depuis qu'il aimait Théa, il s'imposait une abstinence cruelle. Seule Isabelle, une nuit sur la plage, en avait triomphé. Jean-Baptiste ne veut plus jamais y penser, surtout pas ce soir.

Dressé sur ses coudes pour ne pas l'étouffer, il sent que Théa, sous son corps, se débat faiblement. Elle murmure que non, qu'elle a peur, qu'elle ne veut pas. Mais Jean-Baptiste sait bien y entendre tout le contraire.

Il embrasse ses lèvres, son nez, ses sourcils, ses tempes, la raie qui sépare ses cheveux et avance profond, profond en elle.

Elle est à lui. Il n'a plus peur de rien, que d'exploser trop vite. Il prend dans ses mains les fesses raides de Théa, il lui soulève les reins et tente de l'immobiliser, de modérer, autant qu'il le peut, ses soubresauts maladroits.

— Ma Théa, mon amour, ne bouge pas surtout ou j'éclate, je meurs. Pas un geste, pas un soupir, garde tes lèvres closes, ce serait trop, trop doux, trop fort. Attends... attends.

Il sent que quelque chose ne va pas, qu'elle s'agite sans plaisir. C'est elle qui répète maintenant :

— Attends, attends.

Elle cherche les mains de Jean-Baptiste, les détache de ses reins, les embrasse, les pose des deux côtés de son visage, sur ses oreilles où elle les maintient pressées.

Sa respiration s'apaise alors, son visage redevient lisse. Elle ferme les yeux, son corps se détend par à-coups. Jean-Baptiste peut alors, à sa guise, à son rythme, aller et venir, la faire se cambrer, s'offrir, imprimer peu à peu dans son ventre la mémoire ineffaçable de la volupté. Quand son membre la quitte, elle tressaille, refuse, le retient, le rappelle, tire à pleines mains sur ses cheveux qui vont se mêler à la mousse humide de son pubis, accepte tout, que sa langue la divise et même qu'il revienne la prendre, l'ouvrir encore.

Mais elle replace toujours les mains de Jean-Baptiste sur ses oreilles.

Elle dit des mots d'amour et de bonheur. Elle a du vent plein les cheveux et le long ruban de sable défile à toute allure. Elle gagne,

elle prend la mer de vitesse. Au bout d'un long moment, il lui semble qu'une vague plus forte que les autres vient recouvrir l'empreinte des sabots de Flèche d'Azur.

Elle pousse un cri que Jean-Baptiste prolonge très vite d'un long gémissement victorieux.

Elle est contente parce qu'elle parvient, avec ses bras, à encercler tout à fait les épaules retombées, immobiles de Jean-Baptiste.

*

Il y a encore beaucoup de monde devant les usines du Nickel, malgré l'avancée de la nuit.

Benoît et Sébastien se mêlent à la foule bruyante des Canaques et des petits blancs venus soutenir les piquets de grève. L'atmosphère tourne à la kermesse. La lumière des hauts fourneaux fait la nuit rouge et noire. Une partie de cricket sommaire s'engage devant les grilles des usines, sous les bravos de la foule.

Les responsables de la grève ont bien du mal à imposer un peu de sérieux : les tracts qu'ils distribuent se transforment rapidement en éventails ou en cocottes en papier.

Le gardien du sémaphore s'approche d'un cercle de Canaques et de popinées, assis sur des nattes tressées. Il leur explique que les dockers du port soutiennent leur grève, que les bateaux ne sont plus chargés, que rien n'est perdu.

— Le ministre arrive, le territoire va changer de statut, la lutte sera longue.

Il ne peut continuer. Une grande claque dans le dos lui intime l'ordre de s'asseoir et de partager le bougna : il mijote dans un four de fortune, construit habilement de pierres chauffées au rouge.

Benoît et Sébastien, assis en tailleur, autour de la natte, se font aussi transparents que possible : ils imitent les gestes des femmes. Elles éventent avec des palmes les taros et les ignames qui cuisent doucement dans leur enveloppe de feuilles de bananiers.

Personne ne leur demande qui ils sont. Le gardien du sémaphore leur jette un regard distrait accepte une bière qu'il décapsule avec ses dents et s'éloigne vers un autre groupe, sans plus de succès.

La gaieté des chants et des rires a tout envahi. Le tchaptchap

monte, frénétique, tandis que les cheminées des hauts fourneaux continuent de cracher leurs longues étincelles rouges.

— La colonie est morte ! hurle une voix. Vive le territoire d'outre-mer, vive le TOM !

— TOMTOM TOMTOM TOM TOM TOMTOM !... scande et danse la foule hilare, sur l'air de *la Marseillaise*.

Voilà, ils ne retiennent que cela, s'énerve le gardien. Lui sait bien qu'un titre qui change, une colonie rebaptisée ne suffisent pas à transformer les rapports de force.

Il s'inquiète du manque de cohésion des partisans de l'Autonomie. Les indépendantistes sèment une pagaille... noire, c'est le cas de le dire. Son mauvais jeu de mots ne le fait même pas sourire. Il enrage : la visite guidée que doit subir le ministre ne va rien arranger.

Il n'est sûr que d'une chose, c'est qu'il faut s'engouffrer au plus vite dans ce changement de statut pour obtenir des réformes concrètes. Il sait aussi que les policiers vont charger au matin et une angoisse coupable le harcèle.

Soudain, une salve d'applaudissements nouveaux fait tourner les têtes, se dresser les fêtards. Benoît ouvre de grands yeux et saisit le bras de Sébastien.

— Tu crois qu'il a fait tout ce chemin à pied depuis l'Anse Vata ?

Le petit garçon de la plage apporte en triomphateur les sandwichs et les alcools dérobés au Bal du Gouverneur.

*

La quatre-chevaux tourne en haut de la colline. Jean-Baptiste arrête le moteur, devant la grille fermée de la propriété.

Théa lui indique, un peu plus loin, les fenêtres de sa chambre.

— Ne vous inquiétez pas. Regardez. Benoît a laissé la jalousie ouverte. Je vais rentrer sans faire de bruit. Tout le monde doit dormir. Au revoir.

Jean-Baptiste n'essaie pas un geste pour la retenir. Il dit seulement :

— Je t'aime, Théa. J'attendrai le temps qu'il faudra.

C'est elle qui se retourne, qui l'envahit de son odeur, qui rit.

— Mais pourquoi avez-vous... as-tu l'air si grave, si dramatique ?

Elle lui caresse les cheveux, promène sur l'arête de son nez un doigt approbateur.

— Vous... tu n'attendras pas longtemps. Rendez-vous à la plage demain, après la distribution des prix. Moi aussi, je t'aime.

Elle se retourne brusquement.

— ... Ne mets pas le moteur en marche pour redescendre.

Il la suit des yeux. Elle escalade le mur et disparaît dans le trou sombre de sa fenêtre.

Jean-Baptiste se dit que non, qu'il se trompe, que quand quelqu'un chuchote, n'importe qui y entendrait un son oppressé.

Il redescend la colline, au point mort.

26

A tâtons, aidée par l'éclat des étoiles, Théa découvre que le lit de Benoît est vide. Quatre heures du matin !

Sans une seconde d'hésitation, elle ressort par le même chemin, passe sans un regard sous les fenêtres d'Isabelle et se met à courir vers le haut de la colline.

Dans l'étroit sentier d'arbres noirs qui conduit au sémaphore, elle s'arrête, de temps en temps, pour appeler :

— Benoît ! Benoît !

Elle réveille des oiseaux de nuit, des roussettes pendues par les griffes, la tête en bas, qui vont agiter le frou-frou de leurs ailes satinées au sommet des arbres.

« Il ne peut rien lui arriver. Il ne peut rien lui arriver, se répète-t-elle en luttant contre l'essoufflement. Il connaît la forêt comme moi. Il doit dormir dans les racines d'un arbre. Je vais le retrouver. C'est mon frère, mon envahisseur. Frère et sœur. Frère et sœur. »

Des îlots de clarté annoncent la fin de la forêt. Des cailloux sonores roulent sous ses pas. Elle gravit, sans s'arrêter, le terre-plein qui entoure le sémaphore.

Il se profile très haut, très blanc sous les étoiles. Une brume légère flotte dans l'air. On ne voit rien de la ville, sauf le rougeoiement lointain de la vallée du Nickel.

Le phare propulse son jet tournant de lumière qui passe, monotone, au-dessus d'elle, sans la toucher.

Théa découvre que ses pas l'ont menée au point le plus haut et qu'elle ne sait plus où aller. Elle reste là, indécise, la peur au ventre.

— Benoît ! Benoît !

La nuit, sans écho, ensevelit le nom de son frère.

Elle entend alors, dans le lointain, trois coups de sirène, qui annoncent qu'un bateau approche le récif de corail.

— *Le Résurgent !*

Elle en est sûre tout à coup et plus rien n'existe qu'une haine chaude qui gonfle ses lèvres et précipite ses pas.

Elle se rue vers l'entrée de la tour. Malgré ses efforts, la porte résiste. Elle ramasse une pierre et fait exploser un carreau. Elle passe un bras à l'intérieur et tourne le verrou. La porte s'enfonce alors facilement.

Un escalier tournant, une musique lointaine, une lumière vive la guident dans son ascension haletante. La dernière porte tout en haut s'ouvre sans mal et ne découvre personne. La pièce est petite, ronde, très éclairée. Théa pourrait la décrire les yeux fermés. Elle tourne lentement sur elle-même, bras ballants, souffle oppressé. La précision de son souvenir l'affole. La couleur laiteuse du mur, le lit défait, les livres par terre, le poste de radio éventré d'où provient pourtant de la musique, les tracts dans un coin, les bouteilles de bière. Tout y est. Une sorte de vertige la saisit. Elle n'a pas besoin de tourner la tête. Elle se sent entraînée vers le cadre noir de la fenêtre. Ses mains saisissent, palpent, entourent la longue-vue de marin qui semble l'y attendre, pointée vers le large, sur son trépied.

Elle y colle son œil et ne voit que du noir, mer et terre confondues. Ses doigts habiles font surgir une lointaine image qui se précise : un paquebot s'avance, immense dans l'objectif, vers l'étroite passe de corail qui protège le port. Sur la coque noire du bateau, elle lit les neuf lettres, attendues, R-É-S-U-R-G-E-N-T. Elle n'hésite pas une seconde. Elle abaisse, de toutes ses forces, une manette de commande sur le tableau de bord, près de la fenêtre.

Le phare tournant décline et s'arrête. Mais Théa ne peut plus maîtriser sa rage. Elle continue d'enfoncer des boutons lumineux, de saboter l'ordre clignotant du piano froid, du monstre aux mille

touches. Soudain, elle se pétrifie et se bouche les oreilles, affolée.

Un de ses gestes vient de déclencher la sirène de secours. Un bruit lent, violent, hurlé, la pénètre tout entière, s'infiltrant malgré elle dans ses tympans, paralysant ses mouvements.

Par bonheur, le gardien s'encadre dans la porte, essoufflé, suant. Il hurle, mais ses cris sont couverts par la sirène. Il se précipite sur le tableau de bord et en quelques secondes, la sirène décline et se tait. Il se tourne vers Théa qui retrouve lentement ses esprits. Son visage est tordu par la colère :

— Qu'est-ce que vous foutez là ? glapit-il.

Il la secoue et lui ferait mal si la sonnerie du téléphone ne venait l'interrompre. Il bondit vers l'appareil.

— Oui... non... une fausse manœuvre... oui, je m'excuse, tout est rentré dans l'ordre... je vous ai dit que je m'excusais !... Bonsoir.

Il s'assied lourdement sur son matelas et s'éponge le front sous le regard attentif de Théa.

— Vous allez m'expliquer maintenant ce que vous foutez là ? C'est une zone interdite. Vous n'aviez pas le droit d'entrer.

— Vous n'aviez pas le droit de sortir, lui rétorque-t-elle avec morgue. Il y a du brouillard. C'est dangereux pour les bateaux.

Il sait trop qu'elle a raison et préfère marteler son lit de ses poings coupables.

— Mais pourquoi ? Pourquoi ? Qu'est-ce qui vous a pris ?

Théa montre la fenêtre ouverte, la longue-vue et lui parle, comme à un complice :

— *Le Résurgent*... Je voulais l'empêcher d'entrer dans le port, l'arrêter.

Il hausse les épaules, accablé, et se tourne vers la fenêtre, vers le noir dense de la nuit que ne troue aucune lumière.

— Nom de Dieu ! éructe-t-il en se précipitant.

Il remet en marche le phare tournant.

Le téléphone sonne de nouveau.

— Oui, c'est réparé... Non, je ne comprends pas ce qui s'est passé... mais oui, j'étais là, je vous expliquerai... Je... mais faites-le, votre rapport, qu'est-ce que vous voulez que ça me foute !

Il se retourne, vengeur, vers Théa en raccrochant. Elle a disparu.

Il voit par la fenêtre sa silhouette criminelle courir vers la forêt et disparaître. Aucune chance de la rattraper ; pour calmer sa peur, il allume une cigarette.

Il dirige la longue-vue vers la barrière de corail : les cheminées du *Résurgent* soufflent de nouveau leurs fumées blanches. Le paquebot se remet lentement en marche, et entre dans le lagon.

27

Au matin, le sifflement modulé d'Isabelle réveille Théa. Il est tard.

La chambre est claire, ensoleillée. Son frère, qu'elle avait retrouvé dormant du sommeil du juste, est déjà en cavale. Elle est seule, sous sa moustiquaire, émergeant, à peine, d'une torpeur protectrice.

— Théa ! Théa ! lance la voix d'Isabelle, inquiète, insistante.

Le grelot sur le guidon de sa bicyclette émet un son ridicule.

— Elle répondrait si elle était là, s'impatiente Sébastien. Tu te fais trop de soucis pour cette histoire. Viens, on la retrouvera au Collège.

Théa entend les roues de leurs bicyclettes s'éloigner enfin. Elle ne ressent rien qu'une immense fatigue, l'envie de flotter encore dans la ouate de son oreiller et d'une indifférence nouvelle. Sans mémoire, sans projet.

Mais le visage de Rosalie, tout près, lutte victorieusement contre sa somnolence. Elle lui soulève la nuque, tendrement, approche de ses lèvres un jus de mangue frais.

— Ta maman m'a dit de te réveiller le plus tard possible. Elle te rejoindra directement au Collège pour la distribution des prix. Il paraît que tu es rentrée très tard. Tu t'es bien amusée, ma luciole ?

— Oui.

Théa avale d'un trait le contenu du verre et se demande si Benoît est le traître qui a parlé.

— Ah ! j'oubliais, elle a dit aussi que ce n'était pas grave. De ne pas t'en faire.

Théa bondit, s'accroche à elle, le cœur battant à tout rompre.

— *Le Résurgent* a fait naufrage !?...

— Tu rêves encore, ma parole, gronde Rosalie, en fronçant les sourcils. Elle parlait des prix. Elle a dit que, même si tu étais la dernière de la classe, elle t'aimerait quand même. Ah ! tu en as de la chance d'avoir une maman qui t'aime autant...

Rosalie soupire d'émotion, en se dirigeant vers la porte.

Théa la suit d'un regard courroucé.

— « ... une maman qui t'aime autant ! » Non, mais sans blague, elle me prend pour une larve.

Quelle mignardise ridicule.

Elle entend alors la voix mal posée de Rosalie qui grince le refrain de Marie.

« Théa, Théa, t'es à qui ?
Théa, Théa, t'es à moâ-â. »

L'oreiller de Théa l'atteint dans le dos, la déséquilibre, lui fait perdre son souffle. Elle hoquette un rire indigné.

— C'est faux, explique Théa calmement

Rosalie croit qu'elle parle de la mélodie.

*

La distribution des prix déroule son rituel, à l'ombre des flamboyants, dans la cour du Collège Bougainville.

Une étroite allée centrale, coloriée de fresques par les classes de sixième, sépare les bancs des élèves et de leurs parents.

Le proviseur et les professeurs, chargés de remettre les prix, officient sur une estrade sévère. Le piano noir de Mme Reiche ponctue, de quelques accords fatals, l'annonce de chaque succès. Dans la foule des élèves, Isabelle et Théa ne se sont pas rejointes et chacune l'a remarqué. La place gardée près d'Isabelle reste vide. Théa, en s'asseyant loin d'elle, a esquissé un geste détaché, insouciant.

Elle évite, depuis, le regard d'Isabelle qui se retourne sans cesse.

— Nous en arrivons maintenant à la classe de seconde classique, annonce le proviseur.

Le bruit monte et décroît autour de nos deux héroïnes. Des regards fuyants convergent vers elles.

— Le prix d'excellence va les séparer davantage, prédit à Marianne une amie qui lui veut du bien.

— Qu'est-ce que tu veux que ça me foute, s'agace Marianne, humiliée qu'on lui prête encore un quelconque intérêt pour ces deux teigneuses.

— Prix d'excellence : Isabelle Demur et Théa Forestier, ex æquo ! tonne le proviseur, sûr de son effet.

La stupeur frappe les travées. Quelques applaudissements crépitent, entraînant bientôt une ovation générale. Chacun sait leur séparation prochaine et s'émeut, perversement, de les voir une dernière fois liées.

— ... Cela, mademoiselle Forestier, vous le devez à votre professeur de français qui a bien voulu oublier votre défaillance passagère.

Mlle Fraisse regarde Théa avec confiance, les yeux brillants de la joie qu'elle octroie. Théa lui retourne un sourire contraint.

Elle pense qu'ils sont tous tombés sur la tête et que cette publicité, faite à une banale histoire d'amitié, est assez écœurante.

Il faut quand même se lever, marcher aux côtés d'Isabelle dans l'allée centrale, lui voir les yeux humides de larmes, entendre une voix zozoter : « On dirait un mariaze ! », croiser les regards bleus et noirs de son frère et de Jean-Baptiste — qu'est-ce qu'ils foutent à côté l'un de l'autre ? — réprimer un léger choc devant l'ampleur du décolleté de sa mère, endurer l'inévitable discours qui félicite leur travail et une amitié exemplaire — j'en étais sûre — bref, s'emmerder à mourir puisque c'est son lot depuis ce matin et qu'elle a renoncé à éprouver la moindre émotion, le moindre intérêt pour la suite des événements.

— Eh bien, mademoiselle Forestier, pliez-vous à l'usage !

Théa comprend qu'elle n'écoutait plus, que les mains impératives de la vieille veuve plaquent, pour la troisième fois, sur le piano leur accord lugubre, que de grosses larmes coulent sur les joues

d'Isabelle et qu'il s'agit d'échanger un baiser. Très désagréable et très mouillé. Très apprécié aussi par un public au comble de l'émotion.

— Rendez-vous au Château d'Eau dans une heure, dit le murmure suppliant d'Isabelle.

Théa s'éloigne vite, consciente qu'à une seconde près, elle peut faire celle qui n'a pas entendu.

— Dis-moi oui ou je hurle, suffoque, dans son dos, son insistante amie.

Pas d'esclandre surtout.

Théa balance ses cheveux, en un signe d'acquiescement irrité.

*

A la sortie du Collège, Théa se fraye un passage difficile, à coups de coude et de sourires hypocrites. Elle fonce à bicyclette pour fuir le tohu-bohu des félicitations embuées de condoléances.

Elle heurte maladroitement, à un croisement, un petit car bleu portant l'inscription « École des Sœurs de Saint-François-Xavier. »

Elle rassure une religieuse qui l'aide à se relever. Elle n'a rien.

— Vraiment rien, je vous assure !

Elle abandonne sans regret son vélo et monte dans le car qui la déposera place des Cocotiers.

— Merci de me rapprocher, accepte-t-elle poliment.

Une vingtaine de petites filles, en uniforme bleu marine, leur missel à la main, la regardent avec curiosité. Théa plaque un sourire sur ses lèvres. Les petites filles ne le lui rendent pas. Théa en éprouve une sorte d'apaisement.

Le petit car se remet en route et, sur un signe de la cornette blanche, l'*Ave Maria*, très haut, très pur, arrondit leurs vingt petites bouches pâles. La main de Sœur Marie-Bernadette se pose sur celle de Théa, et lui provoque comme un élancement de douceur.

Elle a faim tout à coup, faim à crier du petit déjeuner retardé chaque vendredi saint par la communion, faim des tartines et du café au lait qui s'abattaient dans leur estomac, sur l'hostie consacrée.

Dans son dos, une main d'enfant effleure ses cheveux dénoués.

— Tu veux bien que je te les natte ? Sinon tu vas les perdre.

Théa connaît bien ce mensonge, si longtemps joué, si tendre, si terrifiant.

Sœur Marie-Bernadette resserre la pression de sa main complice et Théa se retourne pour acquiescer.

Un second petit car bleu et blanc, identique, les suit à distance.

Théa, en l'apercevant, est secouée d'un fou rire hostile. Dans ce car-là, pas de nattes possibles. Les cheveux crépus des petites Canaques sont coupés au plus près de leurs crânes d'enfant. Par la fenêtre vitrée qui séparait les préaux de l'École des Sœurs, une fois par mois, la courte échelle permettait d'assister à la tonte.

Théa tapote la main raidie de Sœur Marie-Bernadette.

— Alors, ma sœur, toujours deux cars, deux cours de récréation, deux réfectoires, deux...

— Quelle importance, Théa, puisque leur cœur, leur âme sont réunis dans nos prières.

Théa hausse les épaules. Quel ennui, une vieille religieuse blessée !

L'*Ave Maria* s'est tu.

— Qu'est-ce qu'on chante maintenant, mère ?

Sœur Marie-Bernadette égrène plus vite son chapelet, en regardant par la fenêtre. La tribu des Jovo, masquée pour la parade, menaçante, dérisoire, traverse, en rangs par deux, les rues de la ville.

— Je ne sais pas, mes enfants. L'*Agnus Dei*, par exemple.

Un silence consterné s'ensuit. Un petit doigt courageux se lève :

— Mère, vous aviez dit... on peut chanter *Étoile des Neiges* ?

Et toutes les autres maintenant la supplient en chœur.

— Non, non et non. Ce ne serait pas raisonnable.

Mais la révolte gagne les rangs.

— Vous aviez promis. Rien qu'une fois !

Sœur Marie-Bernadette finit par céder, en soupirant :

— Bon. Mais comme vous savez, alors, insiste-t-elle.

Les petites écolières ravies promettent, les yeux brillants, de frôler l'interdit et entonnent en chœur :

« *Étoile — des — Neiges*
Mon cœur hum-hum-hum

s'est pris au piège
de tes grands yeux... »

Quand vient le mot « amoureux », il faut se mettre un doigt sur les lèvres et scander seulement les trois syllabes muettes.

Théa qui se souvient de la règle s'y applique, grave, l'index en croix sur ses lèvres pressées. La religieuse, gênée, épie en vain sa réprobation, son ironie.

Le car s'arrête place des Cocotiers. Théa qui chante encore, qui se sent des ailes, saute la première.

— Vous n'oublierez pas de remercier votre papa pour nos œuvres ! Bonne chance mon petit ! lui crie Sœur Marie-Bernadette.

Théa lui envoie de loin un imprévisible baiser de paix.

28

— Je veux voir mon père.

Sous le drapeau tricolore qui flotte à l'entrée du Palais, un planton l'arrête.

Tout au long d'immenses couloirs frais, elle suit ses pas chaloupés qui font grincer le parquet de bois.

Autour des appartements de sa maîtresse, dans son château de Kyoto, un samouraï jaloux avait fait construire, en guise de plancher, un habile entrelacs de bois. Le moindre bruit se propageait de latte en latte, s'amplifiait, courait plus rapide qu'un caillou sur l'eau, précédant, dévoilant à leur insu, les visiteurs indésirables. La vengeance du samouraï s'abattait, foudroyante.

Aucune chape de plomb n'emprisonne Théa, aucune épée ne transperce son dos qui frissonne. « Qui m'a raconté ça ? » se demande-t-elle avec nervosité.

Elle sourit lentement. « Benoît, bien sûr, qui d'autre ? »

Elle s'assied dans une antichambre vétuste où son guide amidonné l'abandonne.

Les pales d'un ventilateur déréglé font bruire, sur le mur, par intermittence, quelques affiches mal punaisées. Toutes vantent les îles du Pacifique. Le regard de Théa s'arrête sur une plage immaculée. L'île des Pins. Une île vierge, annonce l'affiche. Une multitude de barres verticales, jaunes sur fond outremer semblent s'en féliciter. Théa comprend, avec retard, que ce sont des points d'excla-

mation. Elle en dénombre au moins cinq, d'un œil méticuleux, quand une secrétaire arrête son calcul.

— Votre père vous attend.

Il interrompt, de loin, sa conversation téléphonique, pour émettre un sifflement admiratif des nombreux livres enrubannés, autant de prix, qu'elle porte sous son bras.

Elle s'installe dans un grand fauteuil rouge en face de son bureau. Elle voit, à l'envers, prise sous le verre qui recouvre le meuble, sa photographie. Elle est en short, perchée sur une branche, une raquette à la main. Où a-t-il trouvé ce cliché d'elle? Pourquoi le garde-t-il précieusement?

Sa voix est si dure, si sévère, pour son interlocuteur du moment.

— Il n'y aura pas d'affrontement. J'en prends la responsabilité. Je vous rappelle que le temps presse, l'avion de la TAI [1] arrive demain matin. L'ordre doit être rétabli et le sera. Appelez le chef du pénitencier de l'île Nou. Il est prévenu.

Il raccroche et lui sourit aussitôt.

— Mon chéri, excuse-moi, je n'ai pas pu aller à la distribution des prix, un problème urgent à régler. Mais ta mère m'a déjà prévenu. Je suis fier de toi, tu sais, même si je ne te le montre pas assez. Tu es un vrai petit bonhomme.

Il rit, assez content de cette expression. Comme Théa reste silencieuse, il croit la tirer d'embarras.

— Toi aussi, tu veux une augmentation, pour ton argent de poche? Profites-en, je suis de très bonne humeur.

« Ah ! c'est pour ça que Marie est passée », pense Théa, froidement. Elle refuse de la tête puis se ravise.

— Oui.

A l'appel d'une sonnerie invisible, une porte s'ouvre dans le dos de Théa.

— Mademoiselle, appelez les principaux magasins de la ville et faites savoir que ma fille pourra y prendre ce qu'elle veut, en signant de mon nom.

La secrétaire s'éclipse, non sans avoir jeté à Théa un regard envieux de son habileté.

---

1. TAI : Transports aériens internationaux.

— Je sais que tu n'en abuseras pas, lui dit son père en se levant.

— Merci.

Théa ne bouge pas. Ils s'observent en silence et Charles Forestier regagne sa place à reculons. Sa voix est plus sèche.

— Je t'écoute.

— Le gardien du sémaphore...

— Eh bien ?

— La sirène, l'arrêt du phare, ce n'était pas sa faute, c'était moi, je suis entrée par curiosité..., je sais, c'est interdit, mais je l'ai fait. J'ai touché des boutons et... j'ai tout déréglé. Voilà, il n'y est pour rien.

Au fur et à mesure que les mots sortent de sa bouche, elle se sent soulagée, confiante. Une stupéfaction incrédule, prévue, se lit sur les traits de son père.

— C'était donc toi ! s'exclame-t-il.

Elle soutient son regard, sans honte, sans arrogance. Elle est vaguement désarçonnée du manque de sévérité dans sa voix.

Il enchaîne, en la détaillant avec curiosité :

— ... Il a décrit, pour se défendre, une jeune femme mince, aux longs cheveux. Je ne t'ai pas reconnue !

Elle soupire avec délice. Elle se sent si bien, légère ...!

— Il ne faut pas le renvoyer, conclut-elle du ton de l'évidence.

— Trop tard, ma chère, c'est fait, lui est-il révélé d'un ton neutre.

— Ce n'est pas possible !

Théa se rend compte qu'elle a crié, en se dressant devant lui.

— Calme-toi, lui dit-il brièvement.

Il fait le tour de son bureau et l'oblige à se rasseoir.

— ... Cette histoire nous a servi de prétexte. Il y a longtemps qu'on l'avait à l'œil. C'est une goutte d'eau qui a fait déborder le vase. C'est tout... Tu nous y as aidés en quelque sorte.

— Mais pourquoi, pourquoi ? Qu'est-ce qu'il a fait

Les mains de son père pèsent sur ses épaules. Elle sent leur chaleur traverser l'étoffe de sa robe. Elle se dégage aussitôt.

— C'est un sale comploteur. Il essaie avec d'autres de monter, d'organiser les ouvriers du Nickel contre nous, explique-t-il calmement.

— Qui, *nous* ?

Elle crie toujours. Son père réprime une grimace d'agacement.

— Le directeur du Nickel, les patrons du port.

— Pourquoi dis-tu *nous* alors ? Tu crois de ton devoir de le faire ? ricane-t-elle.

Elle sait qu'elle est en train de dépasser les limites de la bienséance. Elle voit qu'il cherche à se calmer. Il prend une profonde inspiration qui pince ses narines.

— Théa, je suis secrétaire général de Nouvelle-Calédonie, « sous-gouverneur » comme vous dites. Ce qui souligne bien que mon devoir est de veiller à la sécurité, à la prospérité de cette île qui est encore une de nos colonies, qui restera un territoire français, quoi qu'il advienne. S'il y a des troubles, les capitaux iront s'investir ailleurs, en Australie par exemple. L'extraction du nickel, principale ressource de l'île se ralentira, et le travail aussi. Pense aux ouvriers, Théa. Pense aux petites gens... Personne n'y gagnerait, crois-moi. Nous continuerons cette conversation politique une autre fois, si tu veux bien.

Il n'attend pas de réponse. La sonnette invisible a dû retentir. Sa secrétaire est là, de nouveau.

— Raccompagnez ma fille, s'il vous plaît.

Elle se lève sans révolte, regagnée par une indifférence, un détachement dont elle s'étonne de s'être départie.

Sur le seuil de la porte, la voix de son père l'arrête de nouveau, changée.

— C'est bien, Théa, de t'être dénoncée à ton père.

« Pourquoi ? se demande-t-elle. A quoi cela a-t-il servi ? »

Il lui sourit, grave, plein de bonté. Il est beau, il a l'air réellement ému. Elle lui fait un signe affectueux.

La secrétaire s'est voilée d'un air pudique, ailleurs, professionnel sans doute.

Théa lui serre la main avec chaleur et s'éloigne. Encore une qui sait ne pas entendre. Cela s'apprend, semble-t-il.

Charles Forestier se prend le visage à deux mains. Comment expliquer une situation politique aussi compliquée à une enfant d'à peine quinze ans ? Il en a la gorge sèche.

Entre ses doigts disjoints, le sourire de sa femme, saisie dans

l'arbre, par un photographe amateur, lui redonne l'énergie dont il a besoin : Marie, grâce au ciel, se fout de la politique.

*

Isabelle s'apprête à bifurquer vers le terre-plein du Château d'Eau. Une voiture s'arrête à sa hauteur. Une voix la hèle dans son dos. Elle reconnaît la jeep du gardien du sémaphore.

Un jeune homme en descend et s'approche d'elle. Isabelle ne peut s'empêcher d'admirer sa jeunesse, ses longues jambes, ses yeux sombres. « Il a quelque chose de Jean-Baptiste », pense-t-elle aussitôt en se mordant les lèvres. « En moins impérieux, peut-être... »

— Excusez-moi, mademoiselle, la route du sémaphore, c'est par là ? Je ne connais pas encore le chemin. Je continue tout droit ?

— Autant que les tournants vous le permettent, sourit-elle, en l'entraînant aussitôt dans une gaieté complice.

Elle pointe un bras gracieux, vers le haut de la colline.

— ... Après le quartier résidentiel, tournez à droite par la forêt. La nouvelle route n'est pas encore goudronnée. Elle sera plus courte mais elle est encore en travaux.

— Merci, dit-il, sans s'éloigner, en la dévorant des yeux.

— Vous êtes le nouveau gardien du sémaphore ?

Il rit de nouveau.

— En quelque sorte. Je suis ingénieur. Je suis chargé d'automatiser le système.

— Ah ! fait-elle en feignant mal l'indifférence, sans arriver à cacher son admiration.

Il remonte dans sa jeep et l'enveloppe d'un regard qui lui fait baisser les yeux. Il en est conscient et s'en amuse.

— Venez me voir. Je vous ferai visiter. Je compte sur vous ?

Elle fuit dans les broussailles et elle entend son rire sonore, gai, que couvre le moteur de la jeep.

— Il ne m'a même pas demandé mon nom !... Mon Dieu, que je suis sotte, puisque je m'en vais de toute façon...

Théa n'est pas au rendez-vous. Isabelle s'allonge dans l'herbe pour jouir du soleil et de son trouble. « Quel dommage que *Le*

Résurgent reparte demain déjà... Et si je restais pour les vacances? Théa serait si contente... »

*

Théa écarte les branches d'un goyavier et observe, dans la clairière, Isabelle Demur, sa fidèle amie.

Renversée près d'un tronc d'arbre. Une jambe croisée haut sur l'autre remonte sa jupe sur ses cuisses rondes et dévoile un bout de slip fleuri. Son chemisier sage, à col rond, palpite sur ses seins tendus. Un bouton s'est défait ou perdu.

« Une image, pense Théa, une image plate, une image de plus; qu'est-ce que je vais en faire? » Les peurs, les émotions, les sentiments, elle se dit qu'elle peut les affronter, les contourner, jouer avec, mais pas les images. Les images gagnent toujours.

Tout au long du chemin vers Isabelle, vers leur dernier rendez-vous, elle a ramassé puis rejeté des objets inutiles : un mégot, un bout de bois, une pierre ronde, n'importe quoi. Pour ralentir ses pas peut-être. Ou pour s'exercer à ouvrir et fermer ses mains. Elle ne sait pas.

Elle se baisse et s'empare d'un petit triangle de miroir brisé. On ne s'y voit que morcelé, un œil, un bout de peau, une mèche de cheveux...

Elle s'amuse à renvoyer les rayons du soleil déclinant sur le visage d'Isabelle qui les chasse d'abord, se débat puis comprend. Elle se lève, toute droite, dans la clairière, le visage caché dans les mains.

« Attention aux images! » se dit aussitôt Théa.

— Assez! Assez! crie Isabelle.

— Baisse tes mains.

Isabelle obtempère. Elle reçoit encore quelques chocs lumineux. Elle cherche, d'instinct, à s'en protéger.

— Baisse tes mains, je te dis.

Elle le fait. Elle ne lutte plus. Elle tourne sur elle-même pour apercevoir Théa qui reste cachée quelque part dans les broussailles. Seule sa voix nette s'élève et interroge.

— Pourquoi? Pourquoi tu ne m'as rien dit?

— J'avais peur, répond vite Isabelle. Peur de gâcher nos derniers jours. Peur que tu te détaches trop vite de moi... J'ai toujours eu peur de toi, crie-t-elle avec colère.

Il y a un long silence et Théa bondit dans la clairière, prosaïque conseillère.

— Tu verras, sur *Le Résurgent*, ça tangue et ça roule très fort. Un seul moyen pour lutter contre le mal de mer ; la balançoire sur le pont. Tu échappes au mouvement des vagues. Je ne l'ai pas quittée entre Nouméa et Tahiti, la dernière fois. Et puis, il y a le cinéma et les marins sont très gentils et il y a même une piscine sur le pont avant.

Mal à l'aise, angoissée, Isabelle se sent incapable de supporter plus longtemps le jeu cruel de Théa, son indifférence nouvelle. Elle souffre de ne pas savoir quelle attitude adopter. Par bonheur, la robe de Théa est rouge, tachée d'un sang épais qui s'échappe encore de sa main.

— Tu t'es blessée, s'émeut-elle, triomphante. Tu saignes !

— C'est rien, dit l'ensanglantée, laconique, c'est le miroir, c'est pas grave.

— Fais voir... Comme tu as dû le serrer fort, ma Théa.

Elle cherche à s'emparer de la main blessée mais Théa la repousse fermement.

— Ne me touche pas, s'il te plaît... Voilà, c'est malin, regarde-toi.

Il y a maintenant les cinq doigts rouges de Théa sur le chemisier pâle d'Isabelle qui se recroqueville dans l'herbe, secouée de sanglots bruyants, libérateurs.

— Théa, je rejoindrai mes parents directement en Afrique, après les vacances. Je n'ai pas besoin de retourner en France. Je vais les convaincre, tu verras. Ça nous laisse deux mois, deux mois de plus.

Elle entoure les jambes de Théa de ses bras, elle mouille ses pieds de ses larmes.

— Oh ! là ! là ! rit Théa en se dégageant. On dirait Marie-Madeleine. Tu exagères.

Isabelle s'en fiche, en proie à un vrai chagrin, où vient se glisser, à brûle-pourpoint, le visage du jeune ingénieur. Elle le chasse ; ce n'est vraiment pas le moment ! Elle continue de pleurer, sans quitter cette position de pécheresse.

Théa la regarde pensivement, en mâchonnant un brin d'herbe volé dans ses cheveux blonds.

— Un sursis ? Pas question, j'en veux pas.

Elle sourit tendrement.

— D'ailleurs, tu me connais trop bien. Tu sais que tu ne risques rien.

Isabelle n'en finit pas de bouger sa tête et ses épaules et ses hanches, en pleurant.

— C'est comme ça qu'on voit les animaux, toujours un peu d'en haut, note Théa.

Et puis, elle nuance un peu son observation :

— ... pas tous, les chevaux par exemple sont plus hauts, il faut les monter pour les voir ainsi.

Tout à coup, elle bâille à s'en décrocher la mâchoire. Elle s'ennuie.

— Ce qu'il fait chaud !... On s'en va ?

— Reste ! Reste un peu avec moi.

Isabelle relève vers Théa son visage humide et lance vers l'arrière ses cheveux blonds. Elle précise aussitôt, toujours à quatre pattes dans l'herbe, sa ressemblance avec une petite chienne fidèle.

Théa voit le duvet sur ses avant-bras repliés, la tache écarlate sur son chemisier, son nez si fin rougi par les larmes. Ses cils mouillés, collés en petits triangles, font comme des étoiles autour du bleu de ses yeux.

Théa note ces détails, un à un, avec méfiance. Mais ce ne sont pas encore tout à fait des images dangereuses, des images banales, plates comme des lames de rasoir. Grâce au ciel, elles déplacent encore, à découvert, leurs sales effluves d'émotion. On les voit venir. Elles ne peuvent pas vous sauter dessus à l'improviste.

— Reste, reste avec moi, supplie, inlassable, Isabelle.

— Oh pour ça, murmure Théa, j'ai le temps. Que c'est long ! soupire-t-elle en s'en allant.

*

De dos, sur la véranda, dans l'encadrement de la porte vitrée,

sa mère semble en grande conversation avec quelqu'un que Théa ne voit pas.

Elle infléchit aussitôt la direction de ses pas vers sa chambre. Mais Marie, sans doute prévenue par son interlocuteur, se retourne et l'appelle. Théa vient vers elle à regret.

— Encore toutes mes félicitations, mademoiselle ! Entre, chérie, nous parlions justement de toi.

En se dégageant, Marie laisse apparaître la personne qu'elle cachait jusqu'alors, dans l'ombre du salon.

Jean-Baptiste se lève devant Théa.

— Qu'est-ce que vous faites là ?

Elle est stupéfaite et un soupçon de jalousie lui tord le cœur.

— ... Je vous ai attendu à la plage, ment-elle pour se donner une contenance.

Jean-Baptiste est livide. Marie vient à son secours.

— C'est moi, la fautive. Je l'ai kidnappé à la sortie des prix et ramené ici. Je voulais prendre le thé avec un homme sympathique, dit-elle de sa voix qui chante.

Il faut croire que le traître entend la chanson. Il s'incline.

— Madame, c'était un plaisir, je...

— Nous parlions des vacances qui arrivent, chante toujours Marie.

— Oui ? dit Théa d'une voix endormie.

Jean-Baptiste bouge beaucoup ses mains.

— Théa, pour rien au monde, articule-t-il, je ne voudrais que vous me suspectiez de...

— Bref, j'ai toute confiance en Jean-Baptiste, le coupe Marie, et je serais très soulagée qu'il t'accompagne, avec des amis, à l'île des Pins.

Théa ne dit rien. Elle sent vaguement son estomac se contracter.

— ... Je crois que tu tiens beaucoup à y aller ? insiste Marie.

Théa fait oui de la tête, mais quand même, elle n'arrive pas à le dire. C'est sa gorge maintenant qui se rétracte. Quelle engeance ! « Est-ce que ce type comprend tout ? pense-t-elle. Pourquoi a-t-il fait un pas vers moi ? »

Marie évolue avec grâce dans cette pesanteur ambiante. Elle a toujours sa voix de charmeuse de serpents.

— Eh bien, voilà qui est réglé ! je me charge d'en convaincre ton père... Je vous rejoindrai, peut-être, un peu plus tard ?

— Comme tu voudras, murmure Théa poliment.

Marie éclate de rire.

— Quel enthousiasme ! Je pensais te faire plaisir en venant.

Devant l'ingratitude de Théa, elle simule une mimique de souffrance assez maladroite.

Jean-Baptiste n'en sourit pas.

Marie s'éloigne de son pas dansant.

— Merci de m'avoir tenu compagnie, Jean-Baptiste, à bientôt !

Théa voit bien qu'elle fait bouger ses hanches, que c'est joli ! mais Jean-Baptiste ne la regarde pas, en disant :

— Au revoir, madame.

« Bien fait ! Il est à moi, il est à moi », pense-t-elle.

Ils restent seuls, face à face. Elle voit ses cuisses bouger, sous l'étoffe de son pantalon, quand il s'approche d'elle.

— Théa, je...

Elle lève des yeux brusques vers lui :

— Vous m'apprendrez ?

— Mais quoi ? bredouille-t-il, pris de court.

— A danser.

Il la serre à l'écraser, à lui couper le souffle. Elle a la tête sous son menton. Il est si grand. Elle entend vaguement qu'il répète :

— N'ayez pas peur, je vous en prie. Je vous en supplie, n'ayez pas peur.

— Peur ? dit-elle.

Elle découvre avec stupeur qu'elle tremble comme une feuille, qu'elle claque des dents.

29

Il y a beaucoup de monde sur le port de Nouméa. Noirs et colons mêlés sont venus assister au départ du *Résurgent*. Ils gênent les manœuvres des marins que l'on sent très nerveux. Certains finissent de repeindre en noir la coque du paquebot : les lettres blanches du mot « grève » disparaissent peu à peu. D'autres chargent, sur leurs épaules, les lourdes malles des voyageurs. Ils grimpent courbés en deux, à l'assaut des passerelles. Les dockers groupés un peu plus loin, tout autour des grues et des poulies de chargement au repos, les regardent faire, en rigolant.

Les passagers font leurs adieux au milieu des pyramides de caisses de victuailles, la plupart éventrées, qui croupissent, depuis trop longtemps, sur le quai.

On voit apparaître dans presque toutes les mains des mouchoirs qui doivent sécher les larmes des adieux. Pressés sur les narines, ils protègent surtout de l'effroyable puanteur qui monte des cageots.

Un dame distinguée, aux cheveux bleutés, se masque presque complètement le visage. On entend quand même sa voix aiguë, derrière son mouchoir.

— C'est écœurant, cette odeur de pourriture ! Écœurant !... Ah ! voilà nos sauveurs !

Des vedettes de la police accostent à l'arrière du *Résurgent*. Il y a un remue-ménage du côté des dockers. Des policiers sautent sur le quai et les menacent de leurs armes. Les dockers reculent et se calment. Leurs visages sont déformés par la haine. Une tren-

taine de bagnards de l'île de Nou débarquent pendant ce temps, protégés par une haie de policiers. Ils chargent les cageots puants sur leurs épaules et vont les déposer dans les vedettes. Leur manège dure longtemps. Les dockers ne réagissent pas. Benoît est très déçu et le dit. Jean-Baptiste l'engueule puis regarde sa montre pour la cent millième fois. Les badauds se lassent. Les passagers reviennent à leurs adieux. Les vedettes repartent bientôt, chargées à ras bord. Le quai est à peu près net, mais une odeur infecte flotte toujours dans l'air.

— Ça pue la charogne, constate Théa en arrivant, très en retard. Où est Isabelle ?

Du haut du pont avant, Isabelle a aperçu Théa, elle redescend en courant la passerelle. Elle bouscule tout le monde sans s'en faire, sans même se rendre compte de sa brutalité. Les gens sont indignés. « C'est comme ça que je l'aime, pense Théa, c'est comme ça que je l'ai toujours aimée... Elle n'a pas changé. »

Isabelle se jette dans ses bras. Elles restent serrées, serrées, fort l'une contre l'autre.

— J'ai eu si peur que tu ne viennes pas, articule Isabelle, transfigurée par la joie, par la peine.

Jean-Baptiste semble la découvrir. « Elle est belle, belle à couper le souffle », remarque-t-il pour la première fois.

Elle touche le visage de Théa, partout. Elle l'imprime sur ses paumes ouvertes, au bout de ses doigts tendus, encore et encore, on dirait qu'elle l'apprend par cœur.

Benoît trouve que c'est trop dur à regarder. Il préfère s'éloigner, laissant Jean-Baptiste subjugué par leur contemplation.

Presque tous les passagers sont à bord, maintenant, pressés le long du bastingage. Un homme et une femme vêtus de blanc se tiennent un peu à l'écart. Ils portent des lunettes noires, et sont enlacés, rivés l'un à l'autre. Ils regardent sans sourire. On ne sait pas ce qu'ils pensent. Le petit Sébastien surgit à leurs côtés, et Benoît reconnaît, en un éclair, les parents d'Isabelle.

— Bon Dieu, ce qu'ils ont changé. Maigres !

Il n'en revient pas. Il essaie de se rappeler la dernière fois qu'il les a vus.

— Au revoir, leur crie-t-il.

Seul Sébastien lui répond, étonné. Ils se sont déjà fait leurs adieux.

Les marins relèvent les passerelles. Il n'en reste plus qu'une. Il faudrait prévenir Isabelle.

En se retournant, il voit que Théa la raccompagne. Elles se tiennent par la main. Sébastien crie à sa sœur de se dépêcher.

— Théa, dis-moi quelque chose, quelque chose que je pourrai me rappeler toujours, supplie Isabelle.

Théa cherche, les sourcils froncés. Elle trouve que c'est difficile, pas commode, comme ça, à brûle-pourpoint.

— N'oublie pas... n'oublie pas la balançoire pour le mal de mer, articule-t-elle enfin, soulagée.

Le visage d'Isabelle se fige une seconde et puis elle s'échappe en courant, reprise par les sanglots.

— Tu es trop méchante, trop, crie-t-elle en escaladant la passerelle.

— Mais non, mais non, s'étonne Théa, désolée. C'est très important.

Sa voix convaincante poursuit Isabelle qui rejoint ses parents. La coque du *Résurgent* se détache lentement du quai. Théa s'en approche. Elle se penche et le touche du plat de la main, au risque de tomber. Un triangle de mer écumante apparaît et grandit.

Elle lève les yeux vers Isabelle qui agite son bras doré.

— Je t'écrirai à chaque escale.

Théa lui sourit.

Un avion traverse le ciel de Nouméa, au-dessus de leurs têtes. Tout le monde le suit des yeux, en se protégeant de la réverbération aveuglante.

— C'est la TAI, c'est l'avion du ministre, s'écrie la dame distinguée en plissant les yeux. Grâce au ciel, les cageots ont disparu !

Il reste encore, un peu partout sur le quai, de longues traînées noirâtres, et des effluves écœurants. Mais les vedettes des bagnards sont loin en mer, tout au fond de la rade.

Le paquebot s'est détaché du quai. Les derniers cordages sont remontés.

Des portières claquent comme des appels.

Des voitures démarrent vers le Rocher à la Voile.

Isabelle est agrippée à l'arrière du bastingage. Ses parents ont regagné leur cabine. Tout vole autour d'elle, ses cheveux, sa jupe. Elle agite toujours les bras. Théa lui répond de temps à autre. Elle économise ses forces : ça peut durer longtemps un adieu de bateau.

Des gens séparés, sur le quai, pleurent à fendre l'âme. D'autres les consolent. C'est leur rôle. Benoît s'inquiète du sien : il observe sa sœur, visage levé, qui fixe, sans ciller, le soleil.

— Qu'est-ce qu'elle fait ? lui demande, à mi-voix, Jean-Baptiste.

Benoît hausse les épaules.

— Je parie qu'elle essaie de pleurer.

*

A l'aérodrome de la Tontouta, l'avion du ministre des Territoires d'Outre-Mer atterrit. Un petit orchestre joue *La Marseillaise*. Des mains agitent des drapeaux tricolores. On déroule un tapis rouge jusqu'au bas de la passerelle.

Le gouverneur, Charles Forestier et quelques hauts fonctionnaires, couverts de leurs décorations, s'approchent de l'avion qui s'est immobilisé. C'est un quadrimoteur. Ses hélices tournent encore si vite qu'une casquette galonnée s'envole.

La porte de l'avion s'ouvre et le ministre apparaît. Il descend d'un pas vif la passerelle, sous les applaudissements.

La nouvelle loi-cadre va toucher le sol de Nouvelle-Calédonie, rétablir l'ordre vacillant, lui imprimer une nouvelle direction.

— Quelle chaleur ! murmure Marie Forestier, au milieu d'un groupe de dignitaires parqués sur la piste d'atterrissage.

— Ce n'est pas faute de vous découvrir, lance la voix acerbe de la femme du gouverneur.

Mme Despasse jette à l'échancrure de sa robe un regard désapprobateur.

Dans son dos, Marie lui tire la langue.

Un jeune homme à lunettes s'approche d'elle, intimidé :

— Vous permettez, madame ?

Il l'évente avec un document qu'il tenait précieusement sous son bras : le discours de bienvenue destiné au ministre. Il l'a écrit lui-même et en éprouve une certaine fierté. Il s'est vu confier cette tâche

par le gouverneur qui le prononcera tout à l'heure, du haut de la tribune officielle, place des Cocotiers.

Tout sourit aujourd'hui à ce jeune homme qui se félicite d'avoir choisi la Nouvelle-Calédonie, pour faire son service militaire, comme coopérant. Tout lui sourit mais surtout cette belle femme blonde qui le remercie de ses yeux si bleus.

*

Au Rocher à la Voile, *Le Résurgent* passe tout près des hautes falaises, avant de s'éloigner.

Les adieux redoublent et les mouchoirs s'agitent, frénétiques.

Théa, Jean-Baptiste et Benoît ont rejoint quelques adeptes de ce genre de déchirement.

Isabelle est de plus en plus minuscule, à l'arrière du paquebot, au fur et à mesure qu'il s'éloigne vers la barrière de corail.

Elle n'agite plus les bras. Théa non plus : elle se détourne de la mer, avec une sorte de soulagement.

— On y va ?

Les garçons regardent toujours au loin.

Avant d'affronter l'océan, avant de disparaître, tout à fait au bout de la rade, *Le Résurgent* s'est immobilisé. En signe d'adieu rituel, sa cheminée expulse trois puissants jets de fumée blanche, accompagnés de trois coups de sirène.

Tout le monde applaudit, une dernière fois. Théa sursaute, comme sous le coup d'une douleur brève et violente. Elle touche un à un les lobes de ses oreilles, presse ses paumes des deux côtés de son visage. Elle s'ébroue deux ou trois fois, regarde autour d'elle d'un air inquiet. Elle semble lutter contre une sorte d'engourdissement. Elle marche vers Benoît et Jean-Baptiste.

— Parlez-moi, je vous en prie. Parlez-moi !

Ils ne peuvent s'empêcher de rire parce qu'elle hurle, en répétant ces mots simples :

— Parlez-moi ! Parlez-moi !

Benoît croit à un nouveau jeu qu'il adopte aussitôt. Il fait des grimaces épouvantables en articulant des mots sans son. Théa

s'agrippe à lui. Elle essaie de lire, avec une application tendue, douloureuse, ce que ses lèvres ne disent pas.

— Arrête, hurle Jean-Baptiste tout à coup en repoussant Benoît. Théa ! Théa !

Il la secoue, elle regarde ses yeux, d'un air affolé, impuissant, puis ses lèvres qu'elle touche.

Elle dit plus calmement, d'un air navré, comme pour s'excuser !

— Je n'entends plus. Plus rien.

Elle titube. Jean-Baptiste et Benoît essaient de la soutenir. Elle leur échappe et s'enfuit. Elle descend à toute allure le chemin rocailleux. Elle court à perdre haleine, sur le sable dur, les yeux fixes.

Loin devant elle, sur la plage de la Baie des Citrons, Flèche d'Azur et sa cavalière lui apparaissent et se précisent. La femme blonde se retourne plusieurs fois, comme si elle était suivie.

Théa ne peut distinguer son visage. Flèche d'Azur ralentit dans une éclaboussure d'eau. La cavalière se retourne encore une fois, pour vérifier que son poursuivant approche. Elle sourit et son corps amorce un lent mouvement de chute.

Théa tend les bras vers elle en courant.

— Attends-moi ! Attends-moi !

Le corps de la cavalière se déplie, se déploie, se détache lentement de Flèche d'Azur. Quand il atteint le sol dans un choc sourd, Théa trébuche et tombe, à la lisière de l'eau.

Jean-Baptiste et Benoît la rattrapent et essaient de la relever. Elle s'est évanouie.

*

On la secoue doucement, elle rouvre les yeux. Elle est dans sa chambre, sous le visage proche et attentif de Michel Royan. Elle lui murmure, dans un sourire :

— J'étais sûre de vous trouver là.

Il lui parle, lui caresse le front mais elle a déjà refermé les yeux, épuisée.

Le docteur Royan range ses instruments, referme sa sacoche. Il se dirige vers Charles et Marie Forestier serrés l'un contre l'autre, dans l'embrasure de la porte.

— Aucune lésion visible, leur dit-il, mais aucun doute, elle n'entend pas, elle est sourde.

Le mot fait mal à Marie qui se cache dans les décorations de son époux. Charles Forestier lève sur le docteur Royan un regard incrédule, épouvanté :

— Ce n'est pas possible. Elle va guérir. Quand, docteur ? Quand ? demande-t-il humblement, bouleversé d'émotion.

— Je ne sais pas. Elle semble très choquée. Ça peut durer des jours, des semaines... peut-être plus.

Il s'éloigne et Charles le presse de questions auxquelles il ne répond que de façon évasive.

Marie s'est assise sur le lit de Théa. Elle la regarde dormir. Prise d'une impulsion soudaine, elle se met à fredonner très bas, comme un disque rayé :

« Théa, Théa, t'es à qui ?
Théa, Théa, t'es à moi. »

Théa s'agite dans son sommeil. Elle se soulève plusieurs fois et retombe en arrière.

Elle est en haut du sémaphore. La longue-vue cadre, au plus près, les vedettes de la police, arrêtées en pleine mer. Les bagnards rejettent une à une les caisses de grenades que la mer engloutit en longs bouillonnements silencieux. Théa lutte désespérément pour les en empêcher. La surface lisse de l'eau se referme, à chaque fois.

Marie, près d'elle, continue en vain sa chanson malade. Il faut que Benoît vienne lui poser une main résolue sur la bouche, pour qu'elle se taise enfin.

— Elle ne t'entend plus, lui dit-il calmement.

Il s'assied sur le sol au pied du lit de Théa. Il prend sa main qu'il garde dans la sienne.

Il attend que sortent les belles jambes chancelantes de sa mère, sur ses hauts escarpins.

Il peut alors se plonger, avec intérêt, dans un livre qu'il vient d'acheter : *Comment communiquer avec les sourds*, en trente leçons. Il le feuillette rapidement et soupire, inquiet : « Ça va être ennuyeux à mourir... Il n'y a même pas d'images ! »

Mais ce qui le lie à sa sœur est plus fort que tout et l'occasion trop belle d'apprendre quelque chose qu'elle ne sait pas.

Il se concentre, de son mieux, sur les mots qui défilent.

A sa grande déception, Théa ne lui laisse pas le temps de finir le livre. Elle trouve le moyen de se réveiller, quelques heures plus tard, au bruit des pages qui tournent.

Aux adhérents de France-Loisirs, avec l'espoir, au fil des chapitres, de les faire entrer dans la danse.

Amitié de

Marie-France Pilien

FICHE D'IDENTITÉ

NAISSANCE :
Marie-France Pisier est née à Dalat, Annam, dans l'Indochine d'avant Dien-Bien-Phu. Elle a vécu six ans en Indochine, puis six ans en Nouvelle-Calédonie avant de rentrer en France pour terminer ses études.

SITUATION DE FAMILLE :
Mère d'un petit garçon, Mathieu, né en 1984, dont le père est le compagnon de Marie-France Pisier, Thierry Funck-Brentano.

ÉTUDES :
Licence de Droit Public et diplôme de l'Institut des Sciences Politiques.

PROFESSION :
Comédienne, Marie-France Pisier a tourné près de quarante films, de *l'Amour à vingt ans* réalisé en 1962 par François Truffaut à *Les nanas* réalisé en 1984 par Annick Lanoë. Elle a notamment été l'interprète de *Baisers volés*, *les Sœurs Brontë*, *la Banquière*, *Chanel solitaire*, *la Montagne Magique*, *l'As des As*, *l'Ami de Vincent*. Au cours de sa carrière, elle a reçu deux « Césars ».

LITTÉRATURE :
Le Bal du Gouverneur est le premier roman de Marie-France Pisier. Elle a été coscénariste de Jacques Rivette pour *Céline et Julie vont en bateau* et de François Truffaut pour *l'Amour en fuite*.

UNE ENFANCE SUR « LE CAILLOU »

par Marie-France Pisier

La Nouvelle-Calédonie, dont tous les journaux parlent depuis peu, se trouve à vingt mille kilomètres de la France, aux antipodes de la mère patrie. Si l'on creusait le sol, comme rêvent parfois les enfants, on la découvrirait de l'autre côté de la terre. C'est dire son éloignement, son extrême isolement qui explique peut-être que ses habitants l'ait surnommée drôlement « le caillou ».

J'y ai grandi entre l'âge de six et douze ans environ. J'habitais sa capitale : Nouméa.

Je me rappelle qu'un jour, je devais avoir neuf ans, mon professeur de français, une religieuse de l'École des Sœurs de Saint-Joseph de Cluny avait organisé un concours de rédaction. Il s'agissait de raconter, d'inventer, de toutes pièces, n'importe quelle histoire. Le texte de l'heureuse élue devait être publié dans le très sérieux journal local, *la France Australe*.

Le sort voulut que je revins triomphante à la maison où nous habitions, sur la Colline aux Oiseaux, et que j'aie pu tendre à ma mère mon trophée victorieux : une pomme-cannelle, modeste don du professeur qui scellait mon succès. La pomme-cannelle pousse sur un arbre tropical, l'anone. C'est un fruit comestible, sucré et très fragile. Fragile, car son enveloppe tendre, morcelée, ne protège guère, en cas de chute par exemple, le mol intérieur du fruit. Cartable au dos, il m'avait fallu transporter ma pomme-cannelle, sur le chemin du retour, au creux de mes deux mains en conque.

Après cette marche précautionneuse, le geste de donner, mains offertes en avant, avait pris à mes yeux une grande importance, une valeur symbolique. Dédier mon livre aujourd'hui à ma mère ainsi qu'à mon fils, grâce à qui, l'attendant, j'ai su trouver le temps d'écrire, me paraît moins solennel que ce premier geste d'enfant. Et, bizarrement, je me rappelle surtout ce fruit, sa consistance, son odeur et bien peu la publication du texte qui avait provoqué le fou-rire de mes parents.

Je l'ai relu des années plus tard, ce texte, grâce aux ciseaux maternels qui avaient pris soin de découper *la France Australe*. Il y avait effectivement de quoi éclater de rire. C'était l'histoire farfelue et « poignante » d'un petit poisson. Fasciné par une grotte mystérieuse dont il avait entendu parler, il bravait tous les interdits pour y pénétrer et se retrouvait échoué sur le sable, après le ressac d'une vague vengeresse.

A y bien réfléchir, je me suis dit, avec amusement qu'on écrivait toujours la même chose, que cette réflexion connue se vérifiait et que ma jeune héroïne, Théa Forestier, était elle aussi guidée par une curiosité farouche qui l'entraînait sur des chemins plus dangereux encore que cette grotte mystérieuse.

Ma plume s'est grâce au ciel allégée de points d'exclamation mais ma ferveur est inentamée : créer des émotions, des peurs en jouant avec des interdits, c'est bien ce même désir qui court dans *Le Bal du Gouverneur*. Sous le faisceau tournant du sémaphore, la nuit, les ombres et lumières de la sexualité attirent et effraient mes héroïnes, comme ils attirent et effraient tous les adolescents du monde. Mais, plus encore que les interdits qu'elles frôlent et dont finalement, elles se jouent, c'est l'ordre à venir qui trouble Isabelle et surtout Théa. Cet ordre à venir qu'elles pressentent, qu'elles redoutent et qui unit l'homme à la femme dans un rapport qui n'est pas sans violence. Ce lien entre l'amour et la violence, c'est une bien étrange découverte pour des enfants qui voient les « grandes personnes » s'agiter sous leurs yeux attentifs et peu complaisants, dans les rêts de sentiments contradictoires.

Le Bal du Gouverneur aurait pu s'appeler « le Tango des Sentiments », ou quelque chose d'approchant, tant il est vrai que le livre tout entier — et pas seulement la scène du bal — s'applique à suivre les évolutions plus ou moins rythmées, plus ou moins gracieuses des cœurs et des corps.

Certes la faune et la flore tropicales, restent pour moi, synonymes de rêve et d'évasion. J'ai eu un réel bonheur à faire surgir sous ma plume, les mots niaouli, cagou, coprah, palétuviers. Mais les

flamboyants en fleurs, aussi éblouissants soient-ils, ouvrent pour moi le rideau rouge du seul théâtre qui m'intéresse, celui des sentiments.

Il en est de même pour l'Histoire qui profile son H majestueux aux détours de ce roman, l'Histoire qui marque le pas et se crispe aux premiers échos de la décolonisation. *Le Bal du Gouverneur* se passe, en effet en 1957. La loi-cadre, dite de décolonisation, qui devait mener vers plus d'autonomie, les territoires français d'Outre-Mer, fut votée à Paris, le 23 juillet 1956. Ce n'est que fin 57 que des décrets d'application à la Nouvelle-Calédonie virent le jour. Ce retard était déjà le signe d'une extrême difficulté à cerner la réalité calédonienne. On peut ajouter, tristement, sans risque de se tromper, que la longue crise de croissance de la Nouvelle-Calédonie ne semble pas s'être déroulée au bénéfice de tous, puisque la situation aujourd'hui y est devenue explosive.

Marie-France riant avec des amies.

Quoiqu'il en soit, *le Bal du Gouverneur* se situe donc à une époque charnière, quand ce léger changement de 57 s'opère dans le statut de l'île. Je me suis appuyée volontairement sur ce glissement politique pour qu'il vienne ajouter un tremblement de plus — un tremblement, pas plus — à la prise de conscience de mes jeunes héros : Ils s'avancent mains tendues, prêts à tout saisir et même les mots, « colonie », « territoire d'Outre-Mer », « gouverneur », « haut-commissaire » leur échappent et semblent danser sous leurs yeux, une sorte de valse-hésitation.

LES IMAGES DE L'ENFANCE...

Parce que j'ai vécu en Nouvelle-Calédonie, on m'a souvent demandé si ce livre était autobiographique. Il ne l'est pas.

Certes je suis, comme mon héroïne, fille de haut-fonctionnaire. Mon père était en poste à Nouméa. Il y avait été nommé après un long séjour en Indochine où je suis née. Mais c'est l'imagination qui a conduit le fil de mon intrigue.

La partie la plus autobiographique réside sans doute dans la description des lieux. De Nouméa en général, mais plus encore de sa partie résidentielle qu'était la Colline aux Oiseaux où habitaient les hauts-fonctionnaires de l'île. Il est vrai que le sémaphore, l'Anse-Vata ; l'île Nou, la Baie des Citrons, le Rocher à la Voile, les usines du Nickel ont impressionné ma rétine, même si parfois j'amalgame des lieux pour le bénéfice d'une scène.

J'étais trop jeune à l'époque pour vivre la vie de mes héroïnes qui, elles-mêmes sont, parfois, largement en avance sur leur âge. Parfois seulement, car à d'autres moments c'est l'enfance qui reprend le dessus et les tire en arrière. Un pas en avant, deux pas en arrière, la valse-hésitation continue.

Pour ouvrir le bal, pour leur donner vie et corps, pour construire ce roman, je suis partie de quelques images captées par mon œil d'enfant, que je n'ai sans doute pas comprises sur le moment et qui ont longtemps, par la suite, habité mes rêves et mes cauchemars.

François Truffaut avec qui j'ai eu la chance de travailler plusieurs fois, comme actrice et comme coscénariste, m'avait beau-

Marie-France et un petit camarade tenant un serpent de mer.

coup frappée en me disant qu'un film se contruisait moins sur une idée que sur quelques scènes, quelques détails bien précis. C'est ce type de démarche qui m'a animée quand je me suis mise à écrire *le Bal du Gouverneur*, et que je me suis interrogée sur ces quelques images qui restaient en moi, comme une brûlure ou comme une fête : une enfant renversée sous un arbre, son vélo près d'elle, la coque d'un paquebot qui s'éloigne d'un quai, un cheval qui galope le long d'une plage, un phare qui tourne dans la nuit.

Ces images sont là, quelque part dans mon récit et ce sont elles qui ont guidé, relancé, les mots et les chapitres. Elles sont comme les pierre d'achoppement d'un récit qui les a, en quelque sorte, englouties et revivifiées pour faire naître un roman : une histoire, des personnages, un décor, une atmosphère.

Images désincarnées, émotions incontrôlées, détails pris sur le vif, c'est, sans doute ce qui fait dire que tous les romans sont autobiographiques.

Bien qu'exerçant le métier d'actrice depuis l'âge de 16 ans, j'ai toujours été fascinée, attirée par la littérature. Faire naître des personnages avec le seul pouvoir des mots garde pour moi quelque chose de magique. Je continue d'ailleurs de penser, plus que jamais, qu'être acteur et écrivain n'est pas incompatible, ni contradictoire. Avant d'interpréter un personnage, une scène, pour se mettre dans un certain état d'émotion, un acteur se sert bien souvent de tout ce qu'il a capté autour de lui. Il est en éveil, même inconsciemment, sur tout ce qui l'entoure, tics, détails, mouvements des mains, inflexions de voix qui vont lui servir à dire des mots, des paroles qui ne sont pas les siens dans la vie. La ressemblance ne s'arrête pas là. Un acteur, comme un écrivain, se sert donc de ce qu'il perçoit pour l'insuffler à un personnage. Mais ce personnage parfois lui échappe et lui renvoie au visage, un miroir qu'il ignorait, une image de lui-même qu'il ne reconnaît pas et qui est pourtant la sienne.

Le fait d'exercer deux professions, d'avoir « une double casquette » comme on dit drôlement est a priori, mal accepté à l'intérieur de notre hexagone. J'ai été très heureuse que les critiques, tout en s'inquiétant de l'étrangeté de cette tentative, aient bien voulu passer outre et saluer mon livre, mon premier roman.

Je n'ai à aucun moment voulu tracer un portrait définitif de l'adolescence et c'est sans doute pour cela que je suis toujours touchée et étonnée que des gens s'y « reconnaissent », au présent ou au passé. Je veux dire qu'ils reconnaissent des émotions qu'ils ont vécues à travers une histoire qui leur est étrangère. Ce que j'ai voulu, en revanche, de toutes mes forces, c'est, à travers les péripéties de ce roman, insister sur l'extrême bonheur et l'extrême difficulté qu'il y a, pour chacun d'entre nous, à traverser cette période de notre vie.

L'exaltation tapageuse, la cruauté parfois des jeunes personnages du *Bal du gouverneur* illustrent, pour moi, au fil des chapitres, cette impression persistante.

Il est vrai que leur sensualité qui a tant de mal à se fixer est sans cesse, relancée, excitée par le contact de la beauté environnante. La Nouvelle-Calédonie est un des plus beaux endroits du monde et y grandir est sûrement le plus somptueux cadeau que l'on puisse faire à un enfant. Mais un cadeau un peu dangereux dans la mesure,

où tout, joies et peines, est amplifié, exacerbé. Si violemment que même le bonheur a parfois des allures menaçantes. Cela dit, l'ambiguïté des sentiments n'est certes pas le monopole de l'adolescence et il n'est pas interdit de penser, qu'au bal du Gouverneur les adultes, les « grands », peuvent faire, même d'une gifle, un geste voluptueux...

Marie-France PISIER

Marie-France à dix ans.

« LE BAL DU GOUVERNEUR » ET LA CRITIQUE

UNE FÊTE ROMANESQUE

« Il s'agit ici de réels débuts d'un authentique écrivain. Il raconte, cet écrivain, les premiers émois d'une adolescente, ses plaisirs interdits, ses désirs insolents... Tourbillon ironique et délicat, *le Bal du gouverneur* est une fête romanesque où les émotions surgissent au fil des lignes pour éclore à la surface de la page, comme des bulles. Et le talent de Marie-France Pisier est de ne pas se perdre dans ses émotions mais, au contraire, de donner à voir un monde et une époque, avec leurs objets, leurs éléments. On a rarement parlé avec tant de sensibilité, et aussi de sensualité, du monde et de la vie tels qu'ils bruissent dans les mémoires... Marie-France Pisier est la petite sœur de Colette... »

Jean-François Josselin, *le Nouvel Observateur.*

COLETTE EÛT AIMÉ...

« Madame Colette, il me semble, eût aimé *le Bal du gouverneur*, et cette Claudine nommée Théa qui a les mêmes curiosités un peu perverses que Claudine, les mêmes éblouissements, les mêmes gros chagrins en forme de désespoirs... L'étonnant, avec Marie-France Pisier, est la façon dont elle parvient à réoccuper sa peau d'adolescente. Elle regarde les adultes avec ses yeux et sa mémoire de gosse, sans effort. Son roman — pourtant si habilement mené — a le ton, la vivacité, les excès et les soudaines langueurs de l'âge difficile, de l'âge impossible de ses héroïnes...

Le grand mérite de Marie-France Pisier, comédienne intelligente, est d'avoir "joué" la petite fille qu'elle fut sans doute avec une vérité saisissante. Et comme elle a bien réussi le décor ! La chaleur, les flamboyants, les canaques et les bagnards, les chiens fous,

les jupons superposés des femmes indigènes et la sourde colère des hommes : nous sommes au crépuscule encore charmant des temps anciens, au petit paradis irrespirable de « la colonie », entre gens « biens » et aventuriers, hauts-fonctionnaires et « coopérants », adultère et nostalgie, confort et révolte.

... Tout cela finira par l'oubli et le désenchantement, morale qui fait les jolis romans. »

François Nourissier, *le Point*.

« C'est un vrai et beau roman. Et pourtant le prélude, bien trop joli, n'est pas dans le mouvement du livre : je ne l'aurais pas gardé... Mais après le récit caracole. Les personnages prennent vie... Le style sensible et nerveux de Marie-France Pisier, souvent d'une précision chirurgicale, intègre avec bonheur l'imagerie royale de l'île à une action rapide, où abondent les scènes bouffonnes, pathétiques. Un joli travail d'écrivain et on peut attendre beaucoup des prochains livres de l'auteur. »

Jean David, *V.S.D.*

Un bonheur d'écriture

« Marie-France Pisier a su retrouver avec un vrai bonheur d'écriture le moment fugace où la fillette va devenir une très jeune femme. Et montrer aussi, sans forcer la caricature, ce que la vie acidulée et quotidienne dans cette île des antipodes pouvait avoir de désespérant et pourtant de magique : ils ont tous ici une gueule d'atmosphère. Marie, la mère de Théa, amazone provocante mais soumise jusqu'à l'esclavage à son mari, le fitzgéraldien Charles ; leurs domestiques au bord de la sécession, Rosalie et Bambo ; le Dr Royan, sur lequel on jase ; le gouverneur frôleur, et tant d'autres, piqués dans l'odorant herbier de « Mademoiselle » Marie-France Pisier, comme ils disent au Français. »

Jean-Didier Wolfromm, *l'Express*.

UN ROMAN DE L'EXORCISME

« Les premières pages appliquées comme certain "nouveau roman" d'il y a vingt ans et puis, très vite, des personnages qui prennent corps et cœur, une atmosphère qui nous envahit, une sensualité acide qui étonne et émeut... A la lire, à l'écouter, on comprend mieux ce qu'était la vie de ces enfants coloniaux brutalisés dans leurs amitiés, exaltés dans leurs émotions. On voit vivre Théa charnellement si proche de son frère parce qu'elle sait que leur amour durera toujours, fascinée, déchirée par Marie, « blonde et bleue », cette mère éblouissante, désinvolte et mystérieuse, dont elle se venge sur Isabelle, sa meilleure amie, et sur Jean-Baptiste, son premier amour... Comme il est dur de devenir adulte et comme il est douloureux d'aimer. C'est ce que démontre ce roman de l'exorcisme, mais aussi d'émotions, de soleil et d'amour. »

Sylvie Genevoix, *Figaro Madame*.

Le soir tombe sur le décor du Bal du Gouverneur.

L'impression de ce livre
a été réalisée sur les presses
des Imprimeries Aubin
à Poitiers/Ligugé

pour France Loisirs

Achevé d'imprimer en août 1985
N° d'édition, 10779 — N° d'impression, L 20343
Dépôt légal, août 1985

Imprimé en France